# 死者と霊性

——近代を問い直す

末木文美士編
Fumihiko Sueki

Eurus
Notus
Boreas
Zephyrus



岩波新書
1891

# 目次

目次

# 《提　言》
# 近代という宴の後で

末木文美士

## 1　近代以後は始まっている

### マルクス主義と近代の終焉

新型コロナウイルス感染症は、予想外のしぶとさで、なかなか終焉が見えない。もっとも専門家は当初から数年かかると警告していた。それでも、それはいささか極端な言い方で、実際は半年程度でよいほうに向かうのではないかと、何となく希望的観測を持って、いろいろと計画を立てていた。そうやって脳内で情報を都合よく修正していくというのは、逆にそれだけ事態が深刻ということなのであろう。コロナ禍をどう見るかについては、すでにいくつか短い文章を書いたので、重複するところがあるが、それらで論じられなかったことも含めて、改めて整理しておきたい。

私の基本的な見方は、コロナ禍をそれだけ切り離すのでなく、大きな時間的スパンの中で考えるべきだということである。その時間的スパンというのは、一九八〇年代で近代は終わり、九〇年代以後は終わった近代の後で、新しい方向を見出せないままの混乱と停滞が続く時代と考えられる。このことは、日本に関しても、また、世界に関しても言える。コロナ禍は、その過渡的状態を終わらせ、否応なく近代以後、どのような方向を目指すかを決めざるを得ない状況に追い込んだということができる。

近代とはどのように定義できるであろうか。ごく簡単に言えば、人類は合理的思考によって進歩し、それによって万人の幸福度が増加する方向へ向かうという楽観論が共通の前提となっていた時代ということであろう。合理的思考というのは、一つは科学技術による環境（人体を含めて）の制御である。それによって生産性を向上させ物質的な豊かさと安楽度を増すことができる。もう一つは人間社会の合理化である。それは民主主義の徹底により、人々の間の差別や不公平を取り除き、万人の幸福度を増すことができると考える。

このような歴史の進歩という観念は、進歩派と言われる人たちだけでなく、保守的とされる人たちにも共有されてきた。経済発展による物質的豊かさの増大ということは、保守派の人たちもまた意図したことであり、ＧＤＰの増加ということが国家目標とされた。

一九八〇年代で大きな区切りがつくというのは、どういうことであろうか。九〇年代に入ると、九〇年に東西ドイツが統一された後、九一年にはソビエト連邦が崩壊して、連鎖的に大部分のマルクス主義国家が消滅した。そのことは、民主主義の勝利と冷戦の終結として、当時プラス方向で受け止められた。しかし、その同じ年に湾岸戦争が起こり、その後の混乱の序曲となった。

マルクス主義国家の失敗と解体は、近代の終焉の大きな画期となる出来事であった。マルクス主義は、近代を徹底することで近代を超克しようという運動であった。即ち、人間社会も自然科学と同じように科学によって解明されると考え、唯物史観は科学的法則による歴史の必然性によって人類が進歩して幸福に至ると考えた。その点で、近代的な科学的合理性を徹底させている。しかし、暴力革命によるプロレタリア独裁体制を取る点で、近代的民主主義を超えている。

マルクス主義が一方にあることによって、逆に資本主義・民主主義の側も対抗理論を形成することになった。マルクス主義国家を全体主義と規定することで、それと対抗するところに自由主義社会の倫理性を伴った結束が可能となった。それ故、マルクス主義国家の崩壊は、一方で科学的合理性の徹底により人類が進歩して幸福に至るという近代の「大きな物語」の最終的な破綻であるとともに、他方でそれと対抗するところに存在根拠を持っていた反マルクス主義の側もまた、その必然性を失い、消滅解体することになる。ソ連と対抗するから、アメリカの民主主義が輝くのであり、ソ連がなくなった時、それではアメリカが理想的な社会かというと、誰もそうは思わないであろう。サミュエル・ハンチントンの理論が正しいわけではないが、それぞれの国家が正当性なきエゴを主張し、理想も目標もないままに、強さを競う覇権主義が対抗しあう無秩序状態となった。それが近代の終焉した状態である。

国内的には、そのことは五五年体制の終焉という結果をもたらした。五五年体制は、冷戦における東西の対立を反映したものであるが、先に触れたように、政権を維持し続けた保守派もまた、経済成長による進歩ということが目標とされていた。その点で、両派ともに楽観的な進歩という共通の前提の上に成り立っていた。戦後復興から高度成長して、国際社会の中で一人前の国家として認められるという目標は八〇年代に達成され、日本は近代化を達成した先進国となった。しかし、その目標が達成されたことは、同時に目標の喪失であった。一九九三年に日本新党の細川護熙を首相とする連立内閣が成立して、五五年体制は終焉を迎えた。

## 自然と社会の崩壊

以上はイデオロギー的側面に関する近代の終焉であるが、日本経済は八〇年代末のバブルの狂乱の後、失われた二〇年、あるいは三〇年と言われるような停滞の時期を迎える。その頃から、近代の負の遺産が噴出するかのように、悲劇的な事件や大災害が次々と起こるようになる。

一九九五　阪神淡路大震災、オウム真理教地下鉄サリン事件
二〇〇一　九・一一アメリカ同時多発テロ
　　　　アメリカによる報復のアフガニスタン侵攻
二〇〇三　アメリカによるイラク攻撃

二〇一一　東日本大震災、福島原発事故
二〇二〇　新型コロナウイルス感染症のパンデミック

これらはもちろん性質が異なり、一纏めにできないかもしれない。九・一一テロとその後のアメリカの侵攻は、冷戦終結後の地域紛争の泥沼化であり、地域紛争はそれ以外にも各地に起こり、アメリカの他、ロシアや中国の覇権主義が加わることでますます複雑化している。

日本における二度の大きな大震災はもちろん自然災害であり、それだけでは近代の終焉によるものとは言えない。しかし、阪神大震災は、その後に近接して起こったオウム真理教信者による地下鉄サリン事件と重なることで社会不安を募らせることになった。麻原彰晃はハルマゲドンの恐怖をあおり、まさしく自らの手で終末の到来を演出しようとした。終末の近さが、それだけ実感できるようになっていた。

最後のとどめは、二〇一〇年代に訪れる。二〇一〇年代は、東日本大震災と福島原発事故で始まり、それから足かけ一〇年の後、今度は新型コロナのパンデミックで二〇二〇年代が始まる。福島原発事故は、かつて夢のエネルギーとして鉄腕アトムを生み出した原子力が、いかに凶暴で恐ろしいものかをまざまざと見せつけた。事故後一〇年を経て、汚染地域の復旧はいまだ遅々として進まず、汚染水の行き場もなお解決できないでいる。同じことが二度起きないという保証はない。それに、核の廃棄物をどうするのか。無害化に一〇万年かかるとされる怪物を、人間が飼いならすことなどできるわけがない。その上に、今重ねてコロナ禍が襲う。パンデミックの終息までに二、三年はかかるとして、それに伴う生活の変化や経済の停滞は容易には回復しないであろう。

それだけではない。地球温暖化は世界中の気候を狂わせ、自然は凶暴化しつつある。台風やハリケーンはかつてなかったほどの大災害を招き、夏の酷暑、豪雨など、もはや人間の耐えうる範囲を超えつつある。化石燃料による二酸化炭素排出を抑える原子力発電は、クリーンエネルギーとしてもてはやされたが、それが不可能となる中で、自然エネルギーによる発電は遅々として進まない。地球温暖化だけでなく、PM2・5などの大気汚染、プラスチックごみによる海洋汚染など、止まるところを知らない。生態系は破壊され、種の多様性が失われて、それに耐えうる少数の種のみが生き残り、地球環境の変化を加速させる。

医学の進歩は遺伝子治療の可能性を開いたが、遺伝子操作による危険はますます大きくなっている。出生前診断は当たり前になっているが、生命の選別につながる恐れは相変わらず消えていない。知的領域においても、AIの進化は素晴らしいが、それとどう付き合っていくかは、未知数のところが大きい。コロナ禍の中で、ネットによるバーチャル空間がリアルな世界にとって代わるSF的状況が現実となった。

人間社会の問題に戻るならば、マルクス主義の崩壊は、単に政治体制や国際情勢の変化というだけではなかった。それは同時に未来に目指すべき目標と倫理的規範の消失でもある。マルクス主義が目標としてきたのは、無産階級の解放により差別が撤廃され、万人が平等な社会主義社会の実現ということである。それは、歴史の必然というだけでなく、同時に倫理的な原理でもある。そして、自由・平等・友愛というフランス革命以来の近代の理想を継承するものである。だが、近代の終焉の中で、その理想そのものが色褪せ、人々を動かすエネルギーとはならなくなってきた。貧富の格差は縮まるどころか拡大し、国家間の格差も固定された。開発途上国は永遠に途上のままに留め置かれる。その現状を批判し、否定する根拠がなくなってしまった。国家間の調整をするはずの国際連合とその関連組織は機能不全に陥ったまま無力化して、覇権国家の意向だけが突出することになった。

## 2　近代は超克されたか

### 危機の時代

近代は、過去において二回終焉した、というか少なくとも終焉の議論がなされた。一回目は、二〇世紀前半の一九三〇年代を中心とする時代、二回目は一九七〇年代の後半から八〇年代である。ここでは、日本を中心に考えるが、いずれの時代も西欧での議論が日本に移植されたところがあるので、西欧の動向を無視できない。

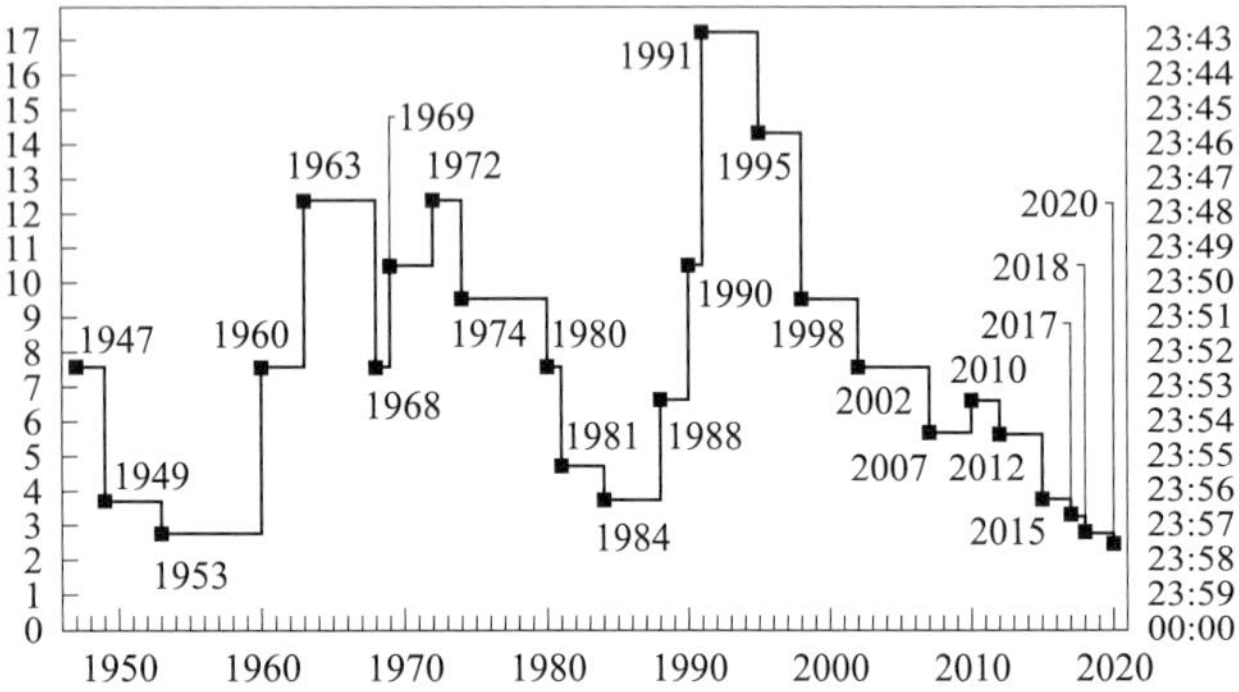


世界終末時計（Doomsday clock: minutes to midnight, 1947-2020）

なお、必ずしも思想史の上で大きな動向とはならなかったが、もう一つその中間に危機的な時代があったことに触れておきたい。それは、第二次世界大戦末期に米軍が広島・長崎に原爆を落とし、核兵器の恐ろしさをまざまざと示したことによる。しかも冷戦開始とともに、米ソが核実験を行い、一九五四年には日本の第五福竜丸が被曝したことで、危機感は一気に高まった。しかし、当時はむしろ核兵器反対の平和運動の中で核の平和利用推進の機運が高まることで、近代文明への危機感は必ずしも大きくならなかった。

ただ、その中にあって、科学者たちは早くから警鐘を鳴らし、一九四七年には世界終末時計が発表された。その時計の推移は上の図の通りだが（Wikipedia による）、当初は核兵器使用への危機感が中心で、冷戦終末時にはだいぶ巻き戻されたのが、その後は環境汚染の深刻化で、危機的状況に向かっていることが示されている。

この時期に、このような危機感を近代の危機、というよりもギリシア以来の哲学の危機として捉えたのが晩年の田辺元《たなべはじめ》による「死の哲学」であった。これまでの哲学をすべて「生の哲学」として一括して批判し、それに対してプラトンに由来する「死の哲学」の再発見を説いた。死者を大きく哲学的な問題として取り上げた画期的な構想であった。

**ポストモダンの時代**

一九八〇年代はポストモダンと言われる流行現象が見られた時代である。この時代をまず見ておこう。西欧では、ジャック・デリダの脱構築をはじめとする多様なフランスの思想がポストモダンとして総称され、その後アメリカにも大きな影響を与えた。日本では、青土社の『現代思想』が編集長三浦雅士の指揮下にこれらの新思想を積極的に紹介し、その影響下に浅田彰・中沢新一らの若手論者がニュー・アカデミズムとしてもてはやされた。また、オウム真理教などの新霊性運動と呼ばれる新宗教の動向もポストモダンとして捉えられることがある。

この前の時代には、一九六八年のパリの五月革命に代表される学生運動が世界的に盛り上がり、日本では全共闘運動に反映した。その挫折の後を承けて、七〇年代後半から八〇年代にかけてのポストモダンの動向が展開することになった。近代の最終局面とも言うべき多様な消費文化の中で、従来の近代的な合理主義の枠組みは通用しなくなっていた。もはやサルトルの真正面からのアンガージュマンは成り立たず、デリダ、ドゥルーズ、フーコーら、多彩な思想家たちがさまざまな領域で多様な思想を展開することになった。彼らの思想は、そうした状況の中で新しい方向の模索であり、その後を予兆するところが少なくなかった。

日本においてももはや全共闘の政治の季節は終わり、バブル真っ盛りであった。新しい思想は、柴門ふみの『東京ラブストーリー』と同じような洒落た軽薄さを特徴として、ばらまかれ消費されることになった。ドゥルーズ＝ガタリのスキゾの概念が浅田彰によって紹介されると、流行語として現実逃避の口実にされることになった。

こうした八〇年代の思想は九〇年代の重い現実の前には無力となった。もはや輸入思想でお茶を濁せる状況ではなくなり、思想なき沈黙の時代へ入ることになった。現実を受け止める中から新しい思想が生まれてくるのは、二〇〇〇年代を待たなければならなかった。

## 没落する西洋

そこで遡って二〇世紀前半の近代の終焉論を考えてみよう。この時期は、第一次世界大戦以後の混乱の中から西洋近代への疑義が生まれ、やがてナチスの台頭と第二次世界大戦へと続くことになる。日本では、遅れて一九三〇年代から四〇年代の戦争の時代に受け入れられ、西洋近代の終わりが東洋＝日本の時代の開始として、日本の戦争を正当化する根拠とされた。

第一次世界大戦は一九一八年に終わり、敗れたドイツは皇帝が退位し、世界一民主的と讃えられたワイマール憲法のもと、共和国が出発した。国際連盟も成立し(一九二〇)、ひとまずは平和へ向かって進むかに見えた。しかし、ロシア革命(一九一七)とソビエト連邦の成立(一九二二)は、西洋諸国にも革命勢力を勢いづかせ、社会的に不安定な状態が続いた。その中で大戦終結前から流行が始まったスペイン風邪は、翌一九一九年にかけて世界中に広まり、パンデミックとなった。一〇〇年後のコロナ・パンデミックと、時代的な相似が言われるゆえんである。それが一段落した後、一九二九年には最大規模の世界大恐慌が襲う。その中からイタリアではムッソリーニのファシスト党がローマ進軍によって独裁への足掛かりを得(一九二二)、ドイツではナチスが政権を握る(一九三三)。

他方、アジアでは日本が次第に軍事大国化しつつあり、韓国を併合した上で、中国利権に割り込み、シベリア出兵により軍事力を誇示した。それに対して、五・四運動(一九一九)などをきっかけに、中国の反日運動は次第に力を持ち始め、また、ガンディーによるインド独立運動も、非暴力という新しい形をとって、欧米に衝撃を与えた。

こうした中で、西洋の没落や近代の終焉が切実な問題として議論されるようになった。シュペングラーの『西洋の没落』(第一巻一九一八、第二巻一九二二)は、歴史上の諸文明と同様に、西洋文明も一時期の隆盛の後で没落することを該博の知識をもって解き明かし、大きな反響をよんだ。西洋近代文明は果たして普遍性を要求しうるのか。西洋知性の権化とも言えるヴァレリーまでもが「精神の危機」(一九一九)というエッセーを発表するほどであった。ハイデガーは、危機の哲学とも言うべき『存在と時間』（一九二七）の後、ナチスにのめり込み、フライブルク大学の総長に就く（一九三三）。他方、フランクフルト学派のアドルノやホルクハイマーは亡命し、ベンヤミンは亡命途中で命を絶った。

アドルノ／ホルクハイマーの『啓蒙の弁証法』（一九四七）は、出版こそ遅いが、亡命の中で、近代の啓蒙がその裏にサドの狂気を秘めていることを明らかにして、ナチスが近代の逸脱ではなく、嫡子であることを論証した。また、ひたすら現象学に没頭したフッサールの最後の仕事は、ヨーロッパ諸学の危機を、いかに現象学によって救うかという問題であった（『ヨーロッパ諸学の危機と超越論的現象学』）。ナチスの側もまた、ユダヤ・キリスト教的な西洋の伝統を否定し、新しいゲルマンの伝統を打ち立てようとした。ローゼンベルク『二〇世紀の神話』（一九三〇）は、まさしくその理念に立って新しい国家の理想を謳うものであった。

こうした西欧の動向に対して、日本はどうであっただろうか。第一次世界大戦こそ被害は少なかったものの、スペイン風邪の後、関東大震災（一九二三）は大きく応えた。普通選挙法と引き換えに治安維持法が成立し（一九二五）、昭和に入ると金融恐慌（一九二七）を経て、戦争へと一直線の時代を迎える。その中で、まずマルクス主義が思想界を席巻したが、激しい弾圧によって、一九三三年には、小林多喜二の獄死、佐野学《さのまなぶ》・鍋山貞親《なべやまさだちか》らの転向を契機に壊滅へと追い込まれる。

その後、青年たちの心をつかんだのが保田與重郎《やすだよじゅうろう》らによる『日本浪曼派』（一九三五―三八）の日本回帰であった。保田はじめから強い反近代主義によって脚光を浴びた。もっとも保田は東京帝国大学で美学を学び、ドイツロマン派から出発しているのであるから、その西洋近代批判自体が西洋近代の刻印を受けていた。『ヱルテルは何故死んだか』(一九三九)は、若い保田が書いた数少ない西洋文学に関する評論だが、ゲーテの作品に、近代の理性への懐疑と批判を読み込み、それ故に主人公は死ななければならなかったと論じている。そして、その西洋近代批判の故に、晩年のゲーテは『西東詩集』(一八一九)でその関心をオリエントに向けることになったとしている。即ち、西洋近代批判→東洋という道筋を読み込んでいる。

この東洋が日本になることで、保田のみならず、一九三〇—四〇年代の日本の近代批判の基本的な筋道が作られる。そこではあわせて、明治以来の文明開化と西洋文明の全面摂取への批判がなされる。この時代の西洋近代批判は、さまざまな位相からなされる。例えば、『国体の本義』(一九三七)では、何よりも西洋近代の個人主義が批判の標的とされ、それに代わって「和」の精神をもって天皇に尽くすことこそが、個人主義を乗り越える日本の美風として賞賛されている。また、生理学者でありながら『正法眼蔵』に傾倒した橋田《はしだ》邦彦《くにひこ》は、西洋近代の科学に代わる日本的な科学を「行」としての科学に求めた。

そのような近代批判の代表として、座談会『近代の超克』(一九四二。一九四三単行本化)が名高い。しかし、本書がそれほど大きな影響力を発揮して、青年たちを戦場に追いやるだけの力を持ったとは、正直とても考えられない。確かにこの座談会は、当時の第一線の文学者・哲学者・科学者・芸術家・評論家などが一三名も揃う豪華版ではあり、それぞれの提出論文や発言には見るべきところがある。しかし結局のところ、それぞれの認識はばらばらであり、そもそも本気で近代を超克しなければならないと、どれだけまじめに考えていたのか、その問題意識そのものが曖昧である。林房雄のように力みかえっている者もいるが、全体としては緊張感も少なく、戦争中にこんなのんびりした座談会をしていること自体が、せめてもの戦争への抵抗だったのかもしれない。

その中では、西谷啓治《にしたにけいじ》の提出論文「「近代の超克」私論」は、きわめて緊密な構成で、もっとも課題に対して正面から応えるものになっている。そこでは、近代の問題として、宗教と科学と文化の分離に陥っていることを指摘し、それを乗り越えるのに東洋＝日本の「主体的無」による「滅私奉公」の立場を掲げる。それをもって「世界新秩序の樹立と大東亜の建設」に向かおうというのである。

西谷はドイツに留学し、西洋の危機を身をもって知っていた。著書『根源的主体性の哲学』（一九四〇）では、西洋の精神史を整理して、神中心の時代から人間中心の時代に移り、そこから今やナチスによって brutal な自然性の立場が現われたとする。しかし、そこには根源的な宗教性が欠如していて、それを補う新たな道は、宗教性と政治・倫理が統合される日本の精神によってのみ到達されるとする。

西谷の西洋の危機に対する理解はそれなりに適切である。しかし、なぜそこから日本に跳んでしまうのか、そして日本の精神が「滅私奉公」の「主体的無」だというのは、どこから出てくるのか。その論理はあまりにご都合主義で、時局への諂《へつら》いではないのか。そしてその西谷が、戦後、禅哲学の世界的権威の名声をほしいままにしたことを考えると、いささか唖然とする。

## 3　死者と霊性

### 死者の抹殺と復権

コロナ危機の現代と一〇〇年前のスペイン風邪の時代とを較べてみよう。後者では西洋の危機が大きな問題になったが、多くの日本人にとって、所詮それは対岸の火事であり、切実な問題ではなかった。それ故、西洋の危機は東洋＝日本の好機とばかり、日本こそが新しい世界史を作るリーダーだという主張がなされ、戦争遂行のイデオロギーとなった。

それに対して、今の時代はもはや近代を西洋という地域に限定することができず、世界中を巻き込むグローバルな危機とならざるを得ない。世界的に広がるパンデミック自体は類似しているとしても、交通も経済も全世界の関係は遥かに緊密になり、インターネットの情報は瞬時に世界を駆け回る。各国はそれぞれ国境を閉鎖し、自己優先的な体制を取りながらも、同じ問題を世界中が共有せざるを得ない。コロナはもちろん、原子力にしても、地球温暖化にしても、すべて一国や一部の人々だけの対応で済む問題ではなくなっている。それ故、その背景となる近代的世界観もまた、西洋に局限されるものではなく、対岸の火事として傍観することができない。そのまま我々自身の問題となっている。

それでは、近代的世界観の何が問題であり、それに代わるべき思想はどのようなものであらねばならないのだろうか。近代的世界観は、科学的合理性による進歩ということを根本的特徴としている。それ故、そこではその合理性によって把握できないものは、容赦なく抹殺される。唯物論を標榜するマルクス主義はもちろんだが、それに反対する場合にも、しばしば科学的実証が絶対視され、実証できないものは、存在しないものとして否定されることになった。この世界は見えるもののみから成り立ち、見えざるものは排除される。「神」を信仰することは勝手だが、それは個人の問題であり、公共の場で議論される問題ではない。

こうして、公的な場から見えざるものたちが消されていく。消された見えざるものの代表が死者たちだ。長い間、死者たちについて問うこと自体がタブーであった。私が二〇〇〇年代の初頭に、はじめて死者の問題を提起した時、それはほとんど嘲笑をもって無視された。死者が大きな問題として浮上したのは、東日本大震災で多数の死者と向き合わなければならなくなったことが契機となっている。それについては、これまでも度々論じてきたので、ここでは立ち入らない。ただ、三点だけ、簡単に記しておきたい。

第一に、東日本大震災で多数の死者が出たから、死者の問題がはじめて浮上したとは言えない。阪神大震災の時にも同様に多数の死者が出たが、死者の問題はそれほど議論されなかった。それから一五年の間に状況が大きく変わったのである。ただその間、二〇〇六年に「千の風になって」という歌が大ヒットして、死者の問題が顕在化しつつあったことは注目される。この詩はもともと九・一一の慰霊の集会で朗読されたものであり、この頃から事故・事件による大量の死者の問題が避けて通れなくなってきたことが知られる。

第二に、死者の問題は宗教とは結び付くが、政治とはかかわらないように見える。しかし、そうではない。靖国神社の問題一つとっても、死者は大きく政治とかかわる。ところが、長い間、靖国の問題から死者が抜け落ち、総理大臣の参拝といった政治外交の問題としてしか見られなかった。本当の問題は、戦争の死者をどのように祀るかということであるが、その肝腎の問題から目を背けていたのである。

第三に、原発事故とコロナ禍は、否応なく見えざるものの力を思い知らせた。原発事故は、見えざる放射能の恐怖をまざまざと見せつけ、新型コロナウイルスもまた空中を飛び交う見えざるものだ。それらは特殊な計器や検査によってはじめて存在が確認されるので、見えるものと見えざるものの中間的な存在と言ってよい。見えるものと見えざるものの区別はそれほど判然としているわけではない。今日の物理学によれば、宇宙空間は見えざる暗黒物質によって充満されているというが、これは今のところ計測さえされない。このように考えれば、やはり見えざるものである死者も、決して放置して許されるものではない。

### 死者／霊性／天皇

近代の理論の中で、見えざる死者はその正当な位置から追いやられてしまった。死者を排除することこそが、近代的として賛美された。仏教においては、葬式仏教が軽蔑され、仏教は本来生者のためのものだと論じられた。だが、現実には近代の仏教の経済的基盤は葬式仏教によって成り立っていた。その現実を見ずに、理論において死者を抹殺してきたのが近代である。

その立場から、近代に先立つ近世も世俗化の時代として捉えられ、宗教の力を軽視することになった。だが、現実には、一七世紀においてもっとも影響力を持った思想は仏教であった。一七世紀前半の儒仏の論争においては、儒教側が理気説を提出して前世・来世を否定したのに対して、仏教は正面から三世の因果を打ち出し、前世・来世を説き、それを現世道徳の成り立つ根拠としていた。一七世紀後半のノンフィクション作品『死霊解脱物語聞書《しりょうげだつものがたりききがき》』は、死者の霊が過去の殺人を暴くという話で、迷える霊を救済した浄土宗の僧侶祐天《ゆうてん》が悪霊払い師として名を挙げることになった。五代将軍綱吉と柳沢吉保の時代まで、政治の領域でも仏教のほうが優勢であったのが、その頃から逆転して儒教が中心となっていく。

一八世紀はもっとも世俗化の進んだ時代であり、現世主義的な動向が強まる。政治の世界でも新《あら》井《い》白石《はくせき》・荻生徂徠《おぎゅうそらい》らの儒者が進出した。白石は『鬼神論』を著わし、基本的には死後の霊魂の存在を否定したが、それだと祖先祭祀の意味がなくなるので、死後もしばらくは気が完全に消散しないために、霊魂的なものが残存するという妥協説を提出した。もっとも徹底した霊魂否定は、山片蟠《やまがたばん》桃《とう》によって「無鬼論」として提出された。蟠桃は西洋科学を摂取して、同時期の西洋の啓蒙思想家と同じような科学的唯物論に近づいていた。

ところが、一九世紀になるとこの現世主義が一転する。平田篤胤《ひらたあつたね》が国学・神道の立場から来世論へ参入し、『新鬼神論』において白石の『鬼神論』などを論破し、死後の霊魂の実在を積極的に認める論を展開した。『霊能真柱《たまのみはしら》』によると、死後の霊魂は黄泉に行くのではなく、この世界に留まり、生者を見守っているという。それ故、死者を祀ることが大きな課題となったのである。仏教における「顕」と「冥」の世界観に代わって、国学・神道は「顕」と「幽(幽冥)」の世界観を展開することになった。後期水戸学の会沢正志斎《あいざわせいしさい》なども死者儀礼の重要性を説いたが、来世を積極的に説く点では、国学・神道のほうが深く立ち入っていた。こうして仏教に代わって、神道による新たな霊性的世界の構築が図られた。

平田派神学は、幕末期の尊王攘夷運動に理論的基盤を与えることになる。彼ら平田門弟の基本的な立場は、天御中主《あめのみなかぬし》・高産霊《たかむすび》・神産霊《かみむすび》の造化三神による世界創造を説き、「顕」の世界は天照《あまてらす》の子孫の天皇が支配し、「幽」の世界は大国主《おおくにぬし》が支配するというのが原則である。その中で、大国隆正《おおくにたかまさ》を中心とする津和野派は「顕」の天照-天皇の系譜を重視し、彼らが新政府の神祇官の中核を担った。しかし、津和野派でも岡熊臣《おかくまおみ》のように幽界を重視する流れもあり、そこから明治初期の神道国教化の中で、国家的に神葬祭を採用する方針も採られた。幕末の国学・神道界は、「草莽の国学」と言われるように、広い範囲に定着し、土着的ナショナリズムの基盤となった。その中には、ウブスナ(産土)を重視し、地域からのボトムアップを図る六人部是香《むとべよしか》のような注目すべき思想家も生まれた。

しかし、新政府の中心となった長州系の要人たちは、西洋諸国と対等の国家を作るためには、神道国教化は有害であり、むしろキリスト教を公認し、信教の自由を確立することが必要と考えた。長州勢力と緊密な関係にあった西本願寺勢力もそれを後押しして、次第に神道勢力は後退することになった。こうして、明治国家は近代的世俗的な立憲君主国家として確立することになる。そこでは、死者や霊性の入り込む余地はないかのように見える。

しかし、国家神道は祭祀と宗教を分離することで、祭祀は宗教ではなく、それ故、信教の自由に違反しないとして、神社を国家祭祀の場として位置づけた。国家祭祀とは、天皇家の祖先神である天照を頂点とする神々や歴代の天皇、そして忠臣たちを祀ることに他ならない。天皇自身が宮中三殿で行う祭祀が国家祭祀の中心であり、日本中の神社はそれに倣って伊勢の神宮を頂点として序列化され、すべての国民（臣民）が参拝するという方式が形成された。靖国神社もその中に位置づけられる。それに対して、臣民のそれぞれの家の祖先崇拝は、基本的には民間の仏教が担うことになる。それが近代の葬式仏教である。こうして日本の近代国家は、霊性的なものを天皇に集中させ、一元化することで神聖国家を確立し、仏教がそれを支えるという構造を作り上げた。

それでは、国家神道の解体から生まれた第二次大戦後の象徴天皇とは何なのか。それがどのように定着するのか。女性天皇はあり得るのか。戦後、長い間天皇問題はほとんどタブー視され、まともに論じられてこなかった。天皇制の問題は、今日なお流動的な要素をさまざまに含みながら、もう一つの近代の問題として我々に背負わされている。

## 4　未来へ向かって

コロナ禍が近代的価値観を決定的に揺るがせたとして、それでは、近代の後にどのような世界観を築いていけばよいのであろうか。国家が強権的な体制を強めていくであろうということは、広く予測されている。実際、アメリカのトランプ、ロシアのプーチン、中国の習近平など、国内的には強権を強め、対外的には自国優先的な覇権主義を取る指導者が力を発揮しつつある。

日本の安倍晋三もまた、彼らを真似しながら、いささか戯画的な存在に終始した。「戦後レジームからの脱却」は、確かに近代の後を自覚的に求めようとしているのであろうが、それでは脱却した後、どうなるのか。「普通の国」になるのが目標だというのでは、あまりに情けないではないか。

ここでは、未来へ向かっての議論に立ち入ることはせずに、一点だけ、今日の日本の政治に関して見落とされている問題を提起して、ヒントとしておきたい。それは、政教分離によって政治は宗教と切り離された世俗の問題であるかのように見られがちであるが、実はそうではない。日本会議はともかく、自民党は神道政治連盟と密接に結びついているし、公明党が創価学会と結びついていることは自明のことである。つまり、今日の日本の与党は確実に宗教勢力と結びついているのである。

それを必ずしも悪いというのではない。そうではなく、それをあたかも宗教と無関係であるかのように隠すことの方が問題である。別の言い方をすれば、世俗政治と宗教とは理念を一つにして、協力して進むことができるのではないか、ということである。それが直ちに政教分離の原則に背くわけではない。今日、死者や霊性、宗教の問題を抜きにして、純粋に世俗的な社会というのは成り立たないことは明らかである。より大きな宗教の世界観の枠の中に、世俗社会や政治も位置づけられるべきではないのか。そのことによって、逆に宗教の側も身勝手な論を振り回し、相互に対立するのではなく、協力しながら社会的に責任の持てる思想と活動を展開すべきではないのか。

近代が終わった後で、理念なき覇権主義の暴走は絶対にあってはならない。もはや人類の存亡自体が問題となっている。お互いに争いあっている余裕はない。政治も宗教も協力しながら、この危機に正面から立ち向かわなければならないのである。

# 《座談会》死者と霊性

（司会）末木文美士
中島隆博
若松英輔
安藤礼二
中島岳志

二〇二〇年一二月一九日

# 第Ⅰ部

## はじめに ——コロナ禍のなかで

**末木**　本日はお集まりいただきまして、ありがとうございます。この座談会ですが、現在、コロナの感染が非常に拡大していることがありまして、会場には中島隆博さん、安藤礼二さん、司会の私がおりまして、若松英輔さんと中島岳志さんは、それぞれのご自宅からリモートでの参加となっています。オンラインでの参加を含めての座談会であることが、「いま」という時代を反映しているように思えます。

きょうのテーマは、「近代」を再考することですが、その際に「死者と霊性」をキーワードにしたいと思います。かなり長時間の議論になりますが、久しぶりに顔を合わせることができたことですし、まず最初に、みなさんの近況といいますか、コロナ禍の状況下でどんなふうに毎日を過ごされているか、そのあたりのことからお聞かせいただけますでしょうか。

私自身は、もう現役を退いていますし、もともと仕事自体が家で本を読んだり、ものを書いたりすることですから、以前とあまり変わらない生活のはずなのですが、やはり閉塞感がありまして、それは時が経つにつれて大きくなってきました。緊急事態宣言(第一回)が出された四月の頃は、しばらくすれば落ち着くだろうと思っていたのですが、だんだんと不安を覚えるようになったと感じています。

中島隆博さんは、いかがですか。

**隆博**　私もコロナについては考えたり、文章を書いたりする機会があったのですが、コロナがあぶり出したものは、我々の社会がもうすでに持っていたさまざまな問題であったという気がするのですね。従来いろいろな問題が、それこそ格差を含めてあったのだけれども、これまで手付かずに終わっていた。ちゃんと手入れをしていなかったことが、本当に明らかになったと思います。それを支えるような学問的な枠組みというのでしょうか、その手入れも十分ではなかった。とくに我々のような、人文学に関わっている者たちの責任は大きいという気がします。やはり、もう一回いろいろな概念を鍛え直して、使い直していく。そういったことが必要なのではないでしょうか。

コロナ禍では、人との接触が禁止される傾向にありますね。きょうのお話にもかかわりますけれども、たとえば死者とかかわることも禁止されていく現実があります。無論、人と触れ合うとか、かかわると言っても、物理的に対面すればそれが可能かというと、なかなか人と人が本当に触れ合うというのはそう簡単なことではないわけです。そのことの意味が、問われていると思います。触れてはいけない。でも、触れ合わなければいけない。この二律背反的な要請ですね。本当に触れ合うとはどういうことかが、改めて問われています。

また、コロナ禍が問うているのは、たぶん人だけの問題ではないですよね。コロナがもたらされた理由の一つは、人間の活動があまりにも伸張し過ぎて、自然界の奥深くにまで入り込んで生態系を徹底的に乱していることがあると思うのです。人間主義、もしくは人間中心主義という近代的な考え方を、見直さないといけない。動物や植物のあり方に、もう一回学ぶことがあってもよいのではないか。そんなことを考えさせられています。

もう一つ言いますと、パンデミック（pandemic）の語源は、ギリシア語のpandēmos（pan〈全て〉、dēmos〈人々〉）ですから、全ての人にかかわるものです。しかし実際は格差がパンデミックにも反映していて、感染が特定の人々に集中するという現象が見られます。これは全ての人にかかわる問題なのだと考えなければいけない。そのためにデモクラシーのアップデートが必要なのではないか。我々はデモクラシーは全ての人にと言いながら、それを怠ってきたのではないか。おそらく制度的な手入れが必要だと思います。いまの日本のデモクラシーですと、せいぜい投票して立法府の議員を選ぶだけですけれども、それにとどまらないデモクラシーへとアップデートするためには、これだけ行政権力が強くなった社会では、行政に関するある種の意思表示とか、応答可能性、そういった制度的な手当が必要であると考えます。

**末木**　きょうの議論の中心的なテーマにいきなり入っていただいたように思いますが、まずはみなさんのお考えを、ひと通りうかがってから議論に入りたいと思います。

安藤さん、いかがでしょうか。

**安藤**　「近代」が、世界を一つのネットワークでつないだ時代だったのだとしたら、その物理的なネットワークがいま破壊されつつあります。まさに「近代の終わり」を見せつけられている感じがいたします。コロナ禍によって、グローバルな規模での危機がもたらされているのですが、コロナは眼には見えない不可視の脅威ですよね。見えないものが、非常にさまざまなものを結び合わせている状況にあると思います。いま我々はこのようにオンラインを用いて座談会をやっています。見えないものの脅威にさらされながら、ネットワークを用いてつながり合っている。どのような状況でも両義性があると思うんです。これまでのネットワークが壊されるという危機的状況に入りつつある一方で、実はそれとはまた別のネットワークが働き出しているのかもしれません。これまでのネットワークがいったん断たれることによって、逆にどのように新たなネットワークが可能になるのか。それが問われているように思います。教育の現場でもそうですし、自分の表現としてもそうです。これまでとは異なった、もう一つ別の、何か新たなネットワークが立ち上がる予感もしておりまして、そうした時代の持つ両義性をいま強く感じています。

**末木**　見えないものというのは、きょうのテーマにつながっていると思いますし、それが新しいネットワークの中でどういう意味を持つのかについても、大事な問題になると思います。
あとのお二人のお考えをうかがいたいのですが、若松さんからお願いします。

**若松**　「死者と霊性」という問題はともに、見えないもの、ふれ得ないものと対峙することになります。ある意味で感覚の彼方にあるものを世界に取り込むかどうかは、その人の世界観そのものだと思います。ウィリアム・ジェームズが『プラグマティズム』で語った言葉を借りれば、世界観というよりも宇宙観というべきかもしれません。私個人は、もともと「死者と霊性」を含み込んだ世界の中に生きてきたせいもあるのですが、見えないものが割り込んできたという感じはあんまりない。しかし、それが現代の常識的な見解でないことは理解しています。

ウイルスは見えないですけれども、測れます。電子顕微鏡で見ることもできるし、検出することもできる。そういう意味では、科学の物差しにかなっている存在です。しかし、死者にしても、霊性にしても、その科学の物差しにはあてはまらない。

けれども、ウイルスによる危機が露呈したのは、人間の知識あるいは経験では明確に測ることのできない存在を、私たちの世界にどう取り込むのかという問題でした。

いま私たちはグローバルな規模の危機に直面しています。私はたまたま批評家ですけれども、危機、クライシス(crisis)というのは、批評を意味するクリティーク(critique)という言葉とつながりがあって、それは物の本質をはっきりさせるということを意味します。

見えないものというのは、必ずしも私たちの存在を脅かすものばかりではありません。「近代」がつくってきたのは可視的な、可触的な、あるいは検出可能な世界です。検出できないもの、測れないもの、しかし実在するものと、私たちはこれからどういう関係を持っていくのか、その岐路に立たされている。それが、いま言われている「危機」の本当の意味ではないでしょうか。

さらに、いま申し上げた「世界観」という問題は、哲学や神学の歴史のうえでは、これまでも幾度となく問題化されてきた伝統的な問いでもあります。その意味では、縁遠いものに改めて着手するというよりは、数百年の間、私たちが忘れてきたものを思い出すという道程を辿りつつあるのかもしれません。

最初の提言として申し上げたいのは、あるエネルギーを費やして、すこし前に戻るということなのです。何かを懐古するのではなく、見過ごしてきた問いに向き合い直すことが必要なのではないでしょうか。

近代以降、ことに現代は、疑うことなく、一直線にずっと前進を続けてきたわけです。しかし、そうした選択が欠落の多いものであることは疑いを容れないと思います。すこし戻りつつも前に進むということが、これからの私たちにとっては必然の道になるのではないか。未来を見据えるために歴史と深くつながっていく、そういう選択がいま私たちの前にあるのではないかと考えています。

**末木**　ありがとうございます。たいへん重要な提起が含まれたお話だと思います。のちほど議論したいと思います。
それでは、中島岳志さん、お願いします。

**岳志**　三月の終わりぐらいから四月にかけて緊急事態宣言、ステイホームということになって、うちには幼稚園に通っている子どもがいるんですけれども、幼稚園もいったんお休みになったので、家族がずっと家にいるという状態になりました。そうすると、子どもを毎日散歩に連れて行かないといけない。子どもと近所をブラブラと一時間半ぐらい歩き回るという生活になった。その時に、春先だったものですから、子どもが公園でしゃがんで、ずっと花を見たりする。ある日、タンポポが咲いていたのですが、「これを一輪お母さんに持って帰る」と言ったんです。「いいよ」と言うと、子どもはそれを家に持ってきた。コップに水を入れて、そのタンポポを挿していたんですね。食卓の上に置いたものですから、じーっとタンポポを見る時間というのがけっこうあって、夜になると閉じて、朝になるとフワーッと開く。これを毎日繰り返し見ていると、僕はタンポポが曼荼羅《まんだら》に見えたんですね。胎蔵界曼荼羅のように見えた。中心からバーッと、スプレッドしていく世界ですよね。大日如来の光が出ているような、そして衆生《しゅじょう》たちは、その中心に吸引されていく。植物の中にあるコスモロジーが現われている。本当にタンポポの中に吸い込まれていくような感覚を持ったんですね。

自分は身近なものをよく見ていなかったと、つくづく感じたんです。あまりにも動き回りすぎて、北海道に住んでいた時は、東京まで週に二往復ぐらいして、飛行機の上から日本を見ていた。けれども、足元のすぐそばに咲いているタンポポすら見ていなかったじゃないか、そんな感覚を非常に強く持ったんです。芭蕉の句に「よく見ればなずな花咲く垣根かな」という句があって、もちろん「なずな(薺)」の中にあるコスモロジーを見ているわけですが、重要なのは「よく見る」ということだと思います。

もう一つ考えたのは、感染の問題で飛沫とかエアロゾルとか、僕たちは呼吸を通じて交流していたということです。そのことに、気づかされた。僕たちはこんなにも空気、呼吸というものによって世界と交わっていたことを、改めて自覚しました。

まさに「プネウマ(pneuma)」という問題ですよね。「プネウマ」は、精霊であると同時に、息吹きそのものであるわけです。そういうものの交換を、たんに人間同士だけではなくて、非常に大きなコスモロジーからすると、植物との間においてもやりとりをしている。つまり光合成と呼吸という関係ですね。そういうところから考え直したいと思い、これまであまり手に取らなかった植物の本などを読み始めたのが、コロナ禍のなかでやってきたことでした。

**末木**　最初の導入というつもりでお願いしたのですが、みなさんから、かなり本質的な問題にかかわるお話をいただきました。さっそく議論に入っていきたいと思います。

## 死者とのつながり方

**末木**　まず中島岳志さんに、ジョルジョ・アガンベン*の「死」をめぐる発言を取り上げていただいて、そのあたりを出発点に、「死者」をめぐる議論につなげていきたいと思います。それでは、お願いします。

**岳志**　いまでもずっと心の中に大きなものとして残っているのが、自分でも驚いたんですけれども、岡江久美子さんの死なんですね。僕は岡江久美子さんとは、もちろん何の接点もなく、とくにファンだったとか、そういうこともありません。でも岡江さんが亡くなったことは、かなりこたえたんですよね。何にこたえたのかというと、彼女が亡くなって家に帰って来る。夫である大和田獏さんが遺骨の箱を持って玄関のところで頭を下げている。そのシーンを見た時に、何か心にドンと重いものがのしかかって来た。岡江さんの死とはいったい何なのだろうか。いろいろな報道を見ていると、急速に容態が悪化したようです。岡江さんは、検査ですこし肺に影があると言われたにもかかわらず自宅で療養していた。一気に悪くなったので病院に運ばれて、そこからもう大和田獏さんとはほとんど会えていないわけですね。そして亡くなられて、遺骨となって戻って来る。このプロセスを見た時に、死のプロセスが一気にスキップされてしまった。死というものの尊厳がまさに失われてしまった死がここにあるというのが、岡江さんの姿を見た時の率直な印象でして、それが僕には非常に大きくこたえたんですね。

その時に頭の中に浮かんだのは、イタリアの哲学者ジョルジョ・アガンベンという人でした。岡江さんが亡くなられたのは四月二三日ですが、その当時アガンベンは、自身の言説をめぐって、強い批判にさらされていました。

たとえば、彼のこんな発言があります（「説明」『イル・マニフェスト』二月二六日）。

「この国を麻痺させたパニックの波がはっきり示している第一のことは、私たちの社会はもはや剝き出しの生以外の何も信じていないということである。（略）自分の生が純然たる生物学的なあり方へと縮減され、社会的・政治的な次元のみならず、人間的・情愛的な次元のすべてを失った、ということに彼らは気づいていないのではないかと思えるほどである」。

「この国はいまエピデミックによって、死者に対する敬意さえもはやない倫理的混乱のなかへと投げこまれている。（略）死者――私たちの死者――は葬儀を執りおこなわれる権利がないし、愛しい人の死骸がどうなるのかはっきりしない。私たちの隣人なるものは抹消された」。

人間には、ビオス（社会的政治的生）とゾーエー（剝き出しの生・生物的な生）があるというのがアガンベンの立場ですが、それで言えば、ゾーエーばかりを重視してどうするのか、と主張している。人間には社会的な生、ビオスというものが存在する。生者と死者の間にもビオスの交流というものがあるはずだ。しかし、死者がちゃんと葬儀もされず、死に切れていない。これはいったい何なのかという問いかけをしていたわけです。

彼の念頭にあったのは『アウシュヴィッツの残りのもの――アルシーヴと証人』という著作だと思います。そこで彼が述べていたのは、アウシュヴィッツにおいて、自らの死を理解できずに死に向かう人たちという問題でした。すでに「ビオス」を失った者たちが、次々に死を迎えていくわけですが、彼らの死を「死」と呼ぶのはためらわれる、と。なぜならば、死の声に呼びかけられることもなしに、ただ単純に死んでいく。その死というものは「死」ではないと言う。この「死ではない死」という問題ですね。死のプロセスにも、そして死者にもまたビオスというものがあるはずだ。それが奪われているというのは何なのかという問いかけを、アガンベンはしていると思うんです。まさに岡江さんの姿を見た時に、僕はこれを想起したんですね。

死者とのつながりというもの、コロナで亡くなった人たちとのつながりというのを、どういうふうに僕たちは取り戻さないといけないのか。この問題がまずは大きくあるのではないでしょうか。

## 転換期としての二〇〇〇年代

**末木** いまのお話は、まさに死者をめぐる問題の本質だと思います。「死者とのつながり」について言えば、ひろく社会の問題になってきたのは、やはり三・一一の東日本大震災の時からであったと思います。

私は死者の問題というのを、ちょうど世紀の変わり目ぐらいから考えるようになりました。それまでは死を自分にとっての問題として考えていて、他者の死というものは、あまり考えてこなかったんです。たまたま東北を調査することがありまして、そうすると東北では死者と親しむような文化がものすごく展開しているんですね。恐山などは有名ですが、そのほか至るところで、たとえばムカサリ絵馬*とか、いろいろなかたちで死者とかかわっている。自分の死という問題から、死者とどうかかわるかという問題へと、スライドしていくことができた。そうすると世界が非常に広がってくる。いままで自分の中で閉じていたものが、一気に大きい世界へと飛び出せたように感じて、それから死者という問題を扱うようになりました。

二〇〇〇年代の前半ぐらいまでは、そういうことを言っても、ほとんど誰も聞く耳を持たなかった。二〇〇〇年代の後半ぐらいになって、だんだんと死者の問題が浮上してきたのではないかと思います。そして、東日本大震災を経ることによって、今度は一気に死者に対する言説が、ステレオタイプ化したものも含めて溢れ出すような状況になっていきました。それは何か違うのではないかと感じましたが、そのあたりの問題について、どなたかいかがですか。

**安藤**　いま二〇〇〇年代の変遷ということでお話をうかがいましたが、私が初めてまとまった批評を書き上げることができたきっかけは、二〇〇一年に起きた九・一一でした。あれはまさにカミカゼですよね。自分の命をかけて、自分の信じるもののために死ぬという、そういったメンタリティというものが存続していた。自分の死を賭してまで賞揚できる大義のようなものが滅びていなかったことに大変な衝撃を受けました。まだ我々はそのような時代にいたのだということを、まざまざと思い知らされました。そこからさらに、それでは一体、自身の信ずる大きなもののために死んでしまえるメンタリティの根源には何があるのかと考えました。

結局のところ、我々が解決したと思っていた問題は、実はまったく解決されていなかったのではないか。解決したと思っていた問題が、九・一一以降、全世界的な規模で反復され、甦ってきているように感じました。まさにその時でした。自分は折口信夫や井筒俊彦が残してくれたテクストを読まなければならない、折口信夫や井筒俊彦が提起してくれた問題に自分なりの解決を示さなければならないと思ったのは。

また、ちょうど同じ時期、世紀が変わることと完全に連動するかのようにして、前世紀には論じること、考えることさえタブーとされた諸問題に正面から取り組めるようになってきたように感じました。井筒俊彦とともに、井筒と密接に関係を持っていた大川周明のことを考えることが可能になってきた、そう実感しました。世紀が変わる以前は、大川周明を論じるためには何らかの立場の決断が必要でした。新たな世紀では、そのような障壁が劇的に薄らいできたように思えました。善も悪も含めて、可能性も不可能性も含めて、世界大戦の時代の思想を論じることができるようになったと思いました。私の批評家としての出発点がそこにあります。

**末木**　私はみなさんよりは年齢が上で、一九六〇年代の最後、ちょうど全共闘の最後に立ち会うような時代を経験していますが、やはり二〇〇〇年というのは大きい区切りだったと思います。そのあたりまでは、いわゆる進歩派、あえて言えば左翼系の進歩派と言いますか、そうでないとものが言えないような状況だった。それが二〇〇〇年あたりでタガが大きく外れて、それ以前では扱われてこなかったような問題が、はじめて表へ出てきたのではないかと。私自身はそう感じていたんですね。

九〇年代に入って、とくに冷戦の終結が大きかったと思います。いままで基底となっていた世界構造が壊れて、国内的に言えば、五五年体制をつくっていたわけですが、それが壊れたあたりが出発点になったのではないか。九五年は、阪神淡路大震災の年であると同時に、オウム真理教の地下鉄サリン事件の年でもあったわけですね。これは「宗教」を考える人間にとってはすごく大きい事件でして、実際、その後の宗教学のあり方にも影響を与えることになりました。私自身は、九〇年代は平安期の仏教の研究にずっと自分を入れ込んでおりまして、まだ外に対しては禁欲的でした。それが二〇〇〇年ぐらいになって開かれてきたという感じでいます。

私が助教授の頃、研究室は違いますが、隆博さんは助手をしておられた。

**隆博**　そうです。

**末木**　隆博さんは中国に関する専門家であると同時に、レヴィナスであるとかデリダであるとか、現代フランスの哲学、思想を非常に深く読み込んでいまして、それを中国思想に応用して、大学院の博士課程の頃から長大な論文を書いていて、本当にびっくりいたしました。ところが、そういう見方というのは、いわゆるアカデミズムの中では必ずしも認められないわけです。私自身もアカデミズムの中で、自分の問題をどういうふうに生かせるのかずいぶん苦労したのですが、隆博さんの場合は、その苦労が非常に大きかったことを、ずっと傍で見ておりました。わりと自由に発言できるようになったのが、やはり二〇〇〇年代になってからでしょうか。そんな理解でよろしいですか。

**隆博**　ありがとうございます。

**末木**　岳志さんも二〇〇〇年を過ぎたあたりで、インドのナショナリズムの研究から出発されたわけです。岳志さんの『中村屋のボース――インド独立運動と近代日本のアジア主義』は二〇〇〇年代ですね。

**岳志**　はい。二〇〇五年です。

**末木**　それまでの歴史観からすれば「インドのナショナリズムに、何の意味があるのか」という雰囲気があったと思うのですが、それを大きく打ち出したことが衝撃を与えたのだと思います。そのあたりの出発点から、いまの死者の問題へと展開していくところを、すこし聞かせていただけますか。

## 二つの震災をめぐって

**岳志**　僕にとって大きな年というのは、一九九五年なんですね。当時二〇歳だったんですが、阪神淡路大震災を経験しました。住まいは大阪でしたが、神戸に近いですから、ものすごく揺れたことを覚えています。そして僕にとっての阪神淡路大震災は、その時の揺れよりも、一〇日後ぐらいのテレビからスタートするんです。

一〇日後ぐらいに何を見たのかというと、長田という町があの時は大変なことになったわけですけれども、避難した人たちも、規制線が張られていて、なかなかご自宅のあったところに戻れない状況だったんです。一〇日後ぐらいに、ようやく見に行ったりしてもいいとなった時に、大阪のテレビ番組が、そこからの生中継をやっていたんです。それを見ていましたら、ある一人の、七〇歳ぐらいの女性だと思うんですけれども、一心不乱にものを探していたんですね。何を探しているんだろうと思って見ていたら、テレビのレポーターがその人のところに寄って行って、「何をお探しですか?」と聞いたんです。その時に、いまでもよく憶えているんですけれども、その女性は最初キョトンとした。何を聞いているんだろう、と。そして、なんでそんな当たり前のことを聞くんだというすこし苛立った表情になって、「位牌を探している」とおっしゃったんです。仏壇の場所を一生懸命探していらっしゃったわけですけれども、僕のいろいろなことのスタートは、この時にあるんですね。

なぜかというと、その時に僕自身の中に、真っ先に位牌を探すという感性がまったくないことに気付かされたんです。彼女との出会いというのは自分自身の空洞との出会いでもあった。父親は戦後生まれの全共闘で、大阪の梅田の近くのマンションで核家族のなかで育った僕にとっては、「宗教」とは最もわからないものだったわけです。

その時に何を想起したかというと、自分も被災をして、まず家族が無事であることを確認して、余震が来るので逃げようというので、みんなで手をつないでマンションを出たんですけれども、僕がとっさにパッと一つだけ手に持ったものがあって、それは財布だったんですよ。その七〇代の女性を見た時に、僕の中でこだましたのは、「おまえには財布ぐらいしか持ち出すものはないのか」という問いだった。真っ先に探すものが位牌であるこの人と、財布――いまだったらスマホかもしれませんけど――を握って逃げる僕というのは、明らかに成熟度が違うと思ったんですね。なんて僕は幼いのかと思ったんです。

ちょうどこれは戦後五〇年という年で、バブル崩壊から四年ぐらいが経って、戦後の物語が崩壊した年でもあったと思うんです。神戸のいろいろな風景が崩れた時に、象徴的な言い方をすると、戦後が崩壊したなと思っていたんですね。コンクリートをつくり、高速道路を張りめぐらせ、そうすると豊かになるんだ、と。僕の世代というのは団塊ジュニアで人口が多かったものですから、「受験戦争」と言われ、あるいは「いじめ」の問題とかが、学校でさかんに語られ、それでも塾に行って、いい大学に入ったらいい就職先があって、年功序列、終身雇用だよ、というふうに言われた。けれども九五年を一つの契機として、当時の日経連(現経団連)が、雇用柔軟型と言いましたけれども、非正規雇用に切り換えていく。従来の型を否定していくというエポックメーキングな年でもあったのですが、そういう物語自体が崩壊したのが九五年でした。戦後の物語を抱きしめて生きていくことのできない、その不可能性に立ち会っている僕たちは、では一体何を摑み直せばいいのか。この女性から学んだことの一つが、「宗教」という問題を考えなければいけないと思ったことでした。まさにそれがきっかけだったんです。

もう一つ、九五年は「村山談話」の年でした。精神の問題として吹き出したのが、ナショナリズムや愛国という問題でした。自社さ連立内閣だったものですから、「村山談話」にどこが反撥したかというと、同じ閣内の自民党の人たちだった。しかも前々年には「河野談話」が出ている。この時、安倍晋三さんは一回生議員です。この頃から、若手の国会議員たちによって、歴史認識の問題を正そうという動きが大きくなってきた。あるいは、新しい歴史教科書をつくる会というのが九七年に発足しますけれども、九五年にその前身となる自由主義史観研究会を藤岡信勝さんがつくる。

ナショナリズムという精神の問題が吹き出したのも九五年でして、そこから宗教とナショナリズムを考えようと思ったわけです。

現代日本の宗教とナショナリズムを考えるためには、時間と空間をずらそうというのが僕の発想で、時間をずらしたのが戦前期の日本、その中核にあったのが大川周明という人物でした。空間をずらしたのが、現代インド。インドでは、一九九八年にＢＪＰ（インド人民党）が政権を握るんですけれども、なぜＩＴ大国と言われるインドで、宗教ナショナリズム、原理主義というのが高まるのか。時間と空間をずらして、超国家主義とインドのヒンドゥーナショナリズムを研究することで現代日本を逆照射してみる、それが僕の二〇代の頃に考えていたことでした。

**末木**　そう言われてみると、私と岳志さんとは親子ぐらいの年齢の差なわけですね。いまの岳志さんのお話について、みなさんの方から、いかがですか。

**若松**　岳志さんと私とは、少し年齢が違うんですが、私にも近い経験があります。阪神淡路大震災の時は、サラリーマンだったのですが、さほど時をあけずに現地に仕事で行っているんです。当時勤務していた会社の営業所がなくなったということで、被災地に入りました。東日本大震災の時とは違って、東京から行けたことをよく憶えています。

しかし、東日本大震災の時は違った。もちろん、原子力発電所の問題もあり、関東も揺れたという問題もあります。ただ、それだけでは説明できない違いもあったように感じています。それはある分断です。世の中が絆という言葉を連呼したのはその裏返しだったようにも思います。
阪神淡路大震災と東日本大震災では何が違ったのかというと、「宗教」の力だったと思っています。阪神淡路大震災が起こった際には、さまざまな宗教家たちがいろいろな発言をしたし、宗教団体も言葉を残した。それが東日本大震災のときは、十分にそのはたらきをなすことができなかった。個人として活躍した宗教者はいました。被災地に入ってさまざまな働きをした人はいたし、そういう方を複数存じ上げています。

けれども、いわゆる宗教団体としては、大きな問題を残したかたちになりました。そして、いまのコロナ禍も、何にも聞こえてこない。なぜこうなってしまったのか。なぜ「宗教」は言葉を失ったのか。これはとても大きな問題であって、宗教が言葉を失ってしまったら、存続することがなかなか難しくなってくる。

奈良時代までの日本では、宗教がなければ国家が潰れていた。それほど大きな役割を担っていたわけです。このことはまさに今日の主題である「死者と霊性」に直結します。「死者と霊性」は、ともに意味では不合理なものです。しかし、こうした証明不可能な存在を省いた、人間の知識だけで、新しい世界観を構築するのは難しいのではないかと感じています。人間を超えた存在との結びつきを整えながら次の世界をつくっていく必要に迫られているのではないでしょうか。

二〇世紀までは何かその糸口があった。しかし二一世紀になって私たちは、それを急激に失っていったと思うのです。

一つには、「宗教」自身が、宗教と、それと似て非なるものだったオウム真理教を、峻別できなかったことが挙げられます。オウム真理教の事件以後、何か「宗教」は怪しいものだ、あるいは近寄らないほうがいいものだという空気があった。宗教団体は、この問題に対峙することなく、沈黙することで是認したところがあります。そこまでさかのぼって、危機において「宗教」が何をなし得るのか、もう一回考えていくことが、極めて重要ではないかと思います。

**末木** ありがとうございます。確かにこのコロナ禍の情勢において、「宗教」が言葉を失ったというのは、おっしゃる通りだと思います。東日本大震災のあと、宗教界の反省があって、たとえば臨床宗教師とか、そういう仏教の社会参加が行われるようにもなりましたが、いま現在は、宗教の社会性では解決できないような状況になっています。しかし宗教の問題で考えれば、むしろいま、宗教が言葉を失った事態のなかでこそ、逆に本質が問われてくるし、また見えてくるのではないかとも思います。

## 一〇〇年単位と一〇〇〇年単位

**末木** これまでのところで何か、みなさんの方から、いかがですか。

**安藤**　二〇一一年の一〇〇年前というのは、鈴木大拙がアメリカから帰国して(一九〇九)、日本での生活を始めた時期です。柳田国男が『遠野物語』(一九一〇)を発表した時期でもありますし、西田幾多郎が『善の研究』(一九一一)を発表した時期でもあります。南方熊楠が神社合祀反対運動に取り組んでいた時期でもありますし、折口信夫の場合は、大学の卒業論文として「言語情調論」(一九一〇)を発表した時期でもあるんです。私が特権的な関心を持っている思想家たち、表現者たちが皆はかったように、一斉にこの時期に活動を本格化させている。

私にとっては、二〇〇〇年から二〇一〇年にかけては、その現実を生きながらも、その一〇〇年前に起こったことがきわめてリアルに感じられる特別な一〇年でした。一〇〇年前の時代をそのまま反復しているかのように感じていました。我々はもう一度、「近代」の始まりを、まったく別のレベルで、しかしまったく同じ様に繰り返しているのではないか。そのような疑いにとらわれていました。だからこそ、彼らの営為をあらためて自分の問題として引き受けていくことが本当に自然に感じられました。「近代」という全世界的な規模で展開された巨大な問題に対して、その最初の波をかぶり、否応なく人生の指針とせざるを得なかった人々の生をもう一度自分なりに繰り返していく。それが私にとっての「近代」の探究であり、その向こう側に出て行くための必要不可欠な訓練であったように思えました。もちろん「近代」の向こう側というのは未来であるとともに、同時に遠い過去、「近代」を徹底的に相対化する「古代」、折口信夫が言うところの「古代」でもあるこ

「預言者エゼキエルの妻の死」（ウイリアム・ブレイク）ⓒThe Trustees of the British Museum

とは言うまでもありません。

**若松**　今年（二〇二〇年）の年始は、ロンドンにいました。ウイリアム・ブレイク*の大きな回顧展があって、もう二度とないくらいの規模の展覧会だったのです。

いまから振り返ると、その頃ロンドンではコロナが流行っていたのですが、当時はまったくそんなことは意識しておりませんでした。

今回ブレイクの展覧会を見ていて、一枚の絵にとても深く心が動かされました。「預言者エゼキエルの妻の死」という絵です。エゼキエルが預言者になっていく、その途中で妻を失う。妻を失って、その苦しみを受けて預言者になっていくというのが旧約聖書の「エゼキエル書」です。ブレイクがエゼキエルが預言者になる契機となった妻の死をめぐって描いていて、その絵が何とも言えない趣き深い絵なのです。この絵を描いたブレイクも、またブレイクが描き出すエゼキエルも、預言とは何かということもわかっているし、死者とは何か、死者との協働、そして神の働きがどういうことかもよくわかっている、そう感じることができた一枚でした。

ここで考えてみたいのは、「死者と霊性」という主題は、喫緊の課題であるとともに、とても古い問題でもある、ということなのです。

一〇〇年という単位は、あまりに短い。ブレイクを加味すれば数百年ですが、エゼキエルになると一〇〇〇年単位になります。私たちはこれまで、時間軸をあまりに短く切りすぎてきたのではないでしょうか。それが「近代」の大きな罠だったかもしれない。「永遠」と言うとすこし大袈裟ですけれども、「永遠」を思わせるような時間軸の中で、問題を深めていくことがとても大事ではないかと思ったりしています。

もう一つ、見過ごせないのがプラトンの『パイドン』と『論語』です。プラトンの描き出すソクラテスにとって、死とは死者に出会うことにほかならない。死者の国に帰っていくという時間がソクラテスにははっきりとある。『論語』には一番弟子の顔回が亡くなったあと、孔子が嘆きに嘆く場面が記録されています。孔子は、片方で嘆きながら、片方では明らかに死者となった顔回を感じている。こうした身近な古典の中にも、「死者と霊性」を考えるヒントが多く、そして豊かにある。

そして、近代で「死者と霊性」という問題を考えるときに注視したいのが、内村鑑三です。彼は最初の著作『基督信徒のなぐさめ』から生涯を通じて、「死者と霊性」を語った。内村は、近代日本で「霊性」という言葉をもっとも早い時期に用いた人物の一人です。

内村鑑三は無教会のキリスト教徒ですが、彼の父宜之《よしゆき》は高崎藩きっての儒者でした。内村鑑三のバックボーンは儒教です。内村に限らず、「愛」や「義」、「霊」を含めてキリスト教を語る際、決定的に重要な言葉の多くは儒教に由来する。

キリスト教が入ってきた時期を、仮に安土桃山時代としてもいいのですけれども、言葉そのものは、もっともっと古いところから来ている。ですから「死者と霊性」を考えていくための時間軸は、深くとっていく必要があるのではないでしょうか。

**末木**　儒教の問題がかかわってくるので、隆博さん、いかがでしょう。

**隆博**　みなさんのお話を聞きながら、ほんとに、いろいろなことを考えさせられます。若松さんのご発言からいきたいと思うんですけれども、内村鑑三の『代表的日本人』を読みますと、内村がどれだけ儒教に対して深い造詣をもっていたのかが、つくづくわかります。しかも、儒教に対する内村なりの新しい読み方もしていたという気がします。私は、儒教が日本で本格的に広まったのは明治だと思っていて、その一翼を内村も担ったのではないかと思います。

顔回の死の問題ですが、あそこは『論語』の中でもハイライトの一つですよね。「子曰く、噫、天予《われ》を喪ぼせり、天予を喪ぼせり」というふうに孔子は嘆きます。そんな嘆き方はそれまでしていないわけです。いままでのトーンとは違う切迫したものがある。しかし、近代日本の解釈を見ると、そこのところが、あんまりちゃんととらえきれていない。和辻哲郎も『孔子』という本の中で、けっこうサラッと書いていて、孔子は人類の教師の中で死について語らなかった人物である、なんてことを言うんですよね。本当にそうなのか、という気がします。それが近代日本の儒教解釈の一つの大きな方向性であって、祈りの問題とか、死の問題を避ける方向に行くんですね。でも『論語』を読みますと、そうじゃないわけです。祈りの問題、死の問題は、決定的な場面で出てくる。だから『論語』を読み返す必要があるというのは、おっしゃる通りだと思いますね。

安藤さんが一〇〇年単位でとおっしゃって、若松さんはいやいや一〇〇〇年単位かもしれない、とおっしゃる。一九世紀末から二〇世紀の初頭にかけての世紀の転換点、「世紀の交」と言ったりしますけれども、その時期に出されたいろいろな霊魂論について、すこし調べたことがあるんです。どういうものかというと、中江兆民と井上円了のある種の対峙なわけです。井上円了は、国家のために死ぬことができる兵士、そのために霊魂不滅を言わなければいけない。ところが、それに対して中江兆民は、いやいや哲学を言うのだったら断じて霊魂なしと言わなければいけない。これはその背景で国家観が鋭く対立していた気がします。そこに南方熊楠が割って入るというかたちになって、熊楠は円了とは違う霊魂論をやり直そうとするんです。世紀末から世紀の初めにかけて、霊魂論争は一つの大きなトピックだったと思うんです。

なぜそんなことに注目したのかというと、仏教が中国に入ってきた時の論争というのがあるんです。これは六朝時代（二二〇―五八九）の論争ですので、またずいぶんさかのぼりますけれども、「神滅不滅論争」というのがあります。「神」と書くんですが、もともとこれは「精神」とか「霊魂」と訳してもよい、精神的な働きのことなんです。人が死んだら、その「霊魂」は滅びるのか滅びないのかというのを、仏教と儒教の両者がさんざん議論していくんです。とてもねじれた論争になっていて、儒教の方が、霊魂は滅びると言うんですよ。ところが祖先祭祀をしなければいけないから、それはおかしいですよね。滅びてはいけない。仏教の方は、滅びないと言うんですけれども、でも輪廻転生から最終的には解脱するんだから、滅びるわけです。すごくねじれているんですが、その論争が一九世紀末にもう一回、日本で反復されるのを見ると、とても不思議な感じがしました。私たちにとっても、依然として重要な問題なのだと思います。

さきほど末木さんが、自分の死から他者の死へとおっしゃったのは、本当に大事だと思うんですね。岳志さんの議論とも深くかかわりますが、アガンベンは、もともとハイデガーの非常に強力な読者なわけですね。ハイデガーをどう読むかということを、ずっと考えてきていると思います。ハイデガーの場合は、自分の死の問題なんですね。死の固有性を言うのですが、それがどういう結末を迎えたかというと、あまり望ましい結末ではなかったと私は思っていて、自分の死を死ぬことができるということになります。こういう枠組みで語られる死の固有性とは違うかたちで、死の問題については向き合った方がいいのではないか。そのあたりを一番厳しく批判していたのが、エマニュエル・レヴィナスだったわけです。死の可能性ではなくて不可能性の問題、これを考えなくてはいけない、と言っていました。アガンベンはたぶん、そのことも意識して議論をしていると思います。そのうえで、このコロナ禍で死者をどういうふうに手厚く葬るのかという問題を投げかけていると思うんですね。ハイデガー的な枠組みを、私はどこかで超えているところがあると思います。死者を祀るというのは儒教にとっては最大の問題です。「礼」にとってまさに死者をどう祀るのかというのが一つの根幹でありますから、ここに我々は儒教的な「礼」の現代版を見ているわけです。今や、尊厳の失われた死に私たちは直面しています。死者を死者としてちゃんと葬ることがない。尊厳を死者に返すことができない。そういうあり方を私たちが許容しているとすると、それは極めて問題だと思うわけです。

では、どうしたらいいのかという時に、ハイデガー的な方向で、死の固有性なんてことは言わないほうがいい。「死」というのは孤立した現象ではなくて、ともに「死」というものを経験するというか、そうやって「生きる」というのは変ですけれども、ともに経験することだと思うのです。だから、一人で死なせてはいけない、孤立した死を避けることが、私たちにとって決定的に大事なのではないか。そうすると、末木さんのおっしゃる、自分の死から他者の死へというのは、非常に重要な転換だと思うわけです。私たちがこの時代に、ともに「死」を経験していくとは、どういうことなのだろう。そのことを考えることができれば、ハイデガー的な方向に行かないと思いますし、あるいは円了が述べたような国家に都合のよい死に向かうのとも違う、協働的な死というのが開かれるのかなと、みなさんの議論をうかがいながら、そんな気がしておりました。

**末木**　いまお話にでました、一九世紀末から二〇世紀初めにかけての明治における霊魂論は、たいへん面白い問題で、これものちほど改めて議論したいと思います。

## ＊ノート

ジョルジョ・アガンベン(Giorgio Agamben)　一九四二—。イタリアの哲学者。ヴェローナ大学、ヴェネツィア建築大学、ズヴィッツェラ・イタリアーナ大学メンドリジオ建築アカデミーなどで哲学、美学を講じる。著作の邦訳に、『ホモ・サケル——主権権力と剥き出しの生』(高桑和巳訳、以文社、二〇〇三年)、『アウシュヴィッツの残りのもの——アルシーヴと証人』(上村忠男・廣石正和訳、月曜社、二〇〇一年)、『例外状態』(上村忠男・中村勝己訳、未来社、二〇〇七年)、『哲学とはなにか』(上村忠男訳、みすず書房、二〇一七年)などがある。

ムカサリ絵馬　山形県の村山地方や最上地方などで行われている民間信仰の風習。結婚せずに亡くなった子どものために、親や兄弟あるいは親戚たちによって、あの世での結婚式を描いた絵馬が奉納される。ムカサリは、婚礼を意味する方言。絵馬には故人の姿と架空の花嫁の姿が描かれる。絵馬は、奉納者が描くこともあるが、地元の絵師に依頼されることが多い。

ウイリアム・ブレイク(William Blake)　一七五七—一八二七。イギリスの詩人、画家、神秘思想家。英国ロマン派の先駆的存在として知られる。その詩は独特の象徴と神話体系を持ち、「預言の書」(the prophetic books)とも呼ばれる。詩集『無垢の歌』『セルの書』『無垢と経験の歌』、警句と短いエッセイ集『天国と地獄との結婚』などがある。また版画家としても優れ、幻想的な主題を独自の手法で描いた。ダンテの『神曲』や聖書「ヨブ記」のための版画が著名である。

# 第Ⅱ部

## 「近代」のとらえ方

**末木**　それでは先に進んでよろしいでしょうか。ここからは、「近代」をどのようにとらえ直していくかという問題を考えたいと思います。

私自身は、以前は、基本的に「近代」はもう行き詰まってしまった、「近代」とは総体的にもう終わった時代のように考えていました。実はあとになって反省してみると、それはすこし間違っていたなと思うところがありまして、その後、いろいろ考え直してみたり、ほかの方と議論したりする中で考えたのは、そうではなくて、いままでの「近代」のとらえ方が間違っていたのではないか、と。つまり、「近代」が終わってしまって、何かそれが超克される。あるいは、いわゆるポストモダンと言われるようなかたちで「近代」がある時点で終わってしまって、そのあとがやってくるという単純なことではなくて、「近代」そのものが豊かな多面性を持っていたのではないのか。いままで見てきた「近代」は、実はそのほんの一面だけで、もう一歩ふみ込んで、「近代」の中でさまざまに掘り返してみると、実は全然違う像が見えてくるのではないか。「近代」そのものをもう一回見直すことによって、「近代」がその前後と、より大きい歴史の中でつながってくるというのか、「近代」の中で生かせるもの、そういうものが見えてくるのではないか。そんなところを、いろいろみなさんにも教えていただければと思います。

そもそも「近代」をどう定義するかですが、「近代」というのは、古代、中世みたいな単なる時間区分として、そういうニュートラルなものだけではなくて、むしろ一つの理想でもありました。つまり、あるべきものとしての「近代」があったわけですね。苅谷剛彦さんの『追いついた近代消えた近代――戦後日本の自己像と教育』という本がありますが、まさに日本は、あるモデルとしての「近代」をずっと追い続けてきた。でもそれが八〇年あたりで消えてしまった。そういう意味で言えば、「近代」がいつから理想化されてきたのかは、日本の場合で言えば、必ずしも戦後だけではなくて戦前を含めて、明治以後の目標であったわけです。

まず、我々がわりと常識的に考える「近代」というのは、いわゆる進歩派的な見方であって、だんだんと社会が合理化していく、いい方向へ向かっていくという見方であり、たとえば、そのためには歴史の必然として革命が起こるし、起こればそこで理想が実現できるみたいな、いわゆるマルクス主義的な方向性もありました。そういうかたちで目指されてきた「近代」というのは、確かにある時点で消滅したし、もう成り立たない。しかし、そうではない方向で、たとえばさきほどの霊魂の問題について言えば、「近代」になってもさかんに論じられていたわけですし、そういうところに着目することで、もう一度「近代」を見直していくことができるのではないのか。そのようなことで、すこし議論を進めたいと思います。

さきほど若松さんからブレイクのお話がでました。ブレイクがとらえた世界といいますか、そのあたりのところを補足していただけませんか。

**若松**　いまお話をうかがっていて思ったのですが、みなさんにとって「近代」というのは大体いつぐらいのことでしょうか。私たちは何か、先の大戦というのがあまりに大きいから、「近代」と「現代」とを一九四五年で切ってしまう傾向があると思うんですけれども、「死者と霊性」という問題を考えるときは、「近代」という認識の物差しが変化する感じがするのです。まず一九四五年に固定されている目印のようなものを、どけてみるのも大事かもしれません。

たとえば、日本から出て、カトリックの人に「近代」と「現代」の境目を尋ねると、おそらく第二バチカン公会議[*](一九六二―六五)が一つの指標になると思います。

さて、ブレイクをめぐってですが、確かにブレイクはある時期までスウェーデンボルグ[*]をとても信奉していた。しかし、ある時から自分の道を歩んでいくことになる。二人のあいだに邂逅があるのは確かですが、それを同一のように語るのは二人の特性を見過ごすことになります。スウェーデンボルグの世界観には善と悪を二分するようなものがありますが、ブレイクにそれはありません。

「天国と地獄の結婚」というブレイクの言葉がそのことをよく物語っています。

ブレイクを本格的に日本に紹介したのは柳宗悦《やなぎむねよし》です。柳は一九一〇年代に、秀逸な宗教哲学者としての仕事をしています。「死者と霊性」は彼の中核的な問題でもありました。初期の柳の論考は実に先駆的かつ独創的です。のちに井筒俊彦が論じる、イブン・アラビーをはじめとしたイスラーム神秘主義の問題も、すでに柳は論じています。

柳の問題意識は、「近代」が世界を人間が認識できるもので塗りつぶしてしまったことにあったと思います。ブレイクはそれを壊していったわけです。死者の世界——何と呼ぶかは別にして——の中に生者の世界がある、それがブレイクの世界観です。生者の世界と死者の世界があるのではなくて、死者の世界のほうが大きくて、その中に生者の世界があるというのが、ブレイクの認識だった。

「近代」が見過ごしてきたのは——あまり構造という言葉は使いたくないんですけれども——死者の世界を含めた世界の構造という問題だと思うんです。この問題もまったく新しくありません。パウロが語り、ダンテが『神曲』で描き出しているわけです。ダンテは、ミルトンとともにブレイクの守護者のような人でもありました。

ブレイクは詩人でもあって画家でもあったわけですけれども、彼は詩だけでなく、絵を描く必要があった。ブレイクが私たちに提示している問題は、言語の限界ということです。「近代」がつくった世界観というのは言語的世界観だった。「死者と霊性」の問題は、言語ではとらえきれない世界に私たちを導いていくと思うのです。そういうことを考え直してみたい感じがあります。

## 一九世紀のグローバル化と神智学

**末木**　ありがとうございます。いま若松さんから、柳宗悦によってブレイクが日本にもたらされたというお話がありました。「近代」を考えていくうえで、日本の場合で大きなことは、グローバル化することによって世界の動向と共時的に動いて行けるようになったことだと思います。そういう意味では、一九世紀が重要な時期ではないか。それは、アジアやインドにおいてもそうです。また一九世紀には、植民地からのいろいろな情報がヨーロッパの方に入っていくようにもなります。

一九世紀において、いま私が関心を持っているのは神智学ですが、その母体となった神智学協会は、ヘレナ・P・ブラヴァツキー*、ヘンリー・S・オルコット*らによって、一八七五年に設立されました。宗教・哲学・科学のある種の統合を目指して、人間の潜在能力を考究することが重要視されました。神秘思想とも言えますが、これまで、ほとんどまともには取り上げられてこなかった。調べてみると、神智学に関する学問的な研究書というのは皆無ですね。逆に言うと、危ない世界の側にあるもの、つまりは「近代」でありながらその外側にあるものと見られていた。にもかかわらず、それぞれの宗教が持つ伝統的価値を尊重することで、社会的にも政治的にも独特な役割を果たしたと言えます。

比較宗教学のフリードリヒ・マックス・ミュラーが、アジアの諸宗教の聖典の英訳を集成した『東方聖書』の刊行を始めるのが、一八七九年です。全五〇巻の完結は一九一〇年ですが、ヒンドゥー教、儒教、仏教、イスラーム、ゾロアスター教などの主要な聖典をヨーロッパの人も読むようになっていく。次には、それがアジアのほうに逆輸入されていくわけです。たとえば、一八八一年にオルコットが編集した『仏教問答』は、スリランカの仏教復興にもつながっていくし、柳宗悦や鈴木大拙を通して日本にも深い影響を与えていく。そういう、いわば東洋と西洋のキャッチボールみたいなものが始まっていく一九世紀後半において、神智学は大きな役割を果たしているのではないか。ちょっと驚いたのは、インドの国民会議派は、神智学協会の第二代会長のアニー・ベサント*が深くかかわっているんですね。インドの独立運動にまでかかわってくるような、そのようなかたちで、神智学をとらえ直していく必要があるかもしれない。安藤さんが詳しいところだと思うので、そのあたりのところを教えていただけますか。

**安藤**　二〇〇〇年代ぐらいから、それまで非常に怪しいオカルティズムの運動ということで正面から論じられてこなかった神智学が、近代インドの独立運動ですとか、近代日本の神道改革運動や仏教改革運動、そういった広義の近代的な宗教改革運動にきわめて甚大な影響を与えているのではないかということで、ようやく真面目な研究の対象になってきたと言えます。

神智学を打ち立てたヘレナ・P・ブラヴァツキーは、ロシア(ウクライナ)に生まれた女性です。ロシアというのは、まさにアジアとヨーロッパの緩衝地域ですよね。ブラヴァツキーは一八三一年に生まれ、九一年に亡くなるのですけれども、神智学協会を設立したのはロシアではなくて、アメリカのニューヨークです。ようやく最近になってその全貌が明らかになりつつある事実なのですが、ブラヴァツキーの一家は、ロシアのコーカサス地方を放浪する生活を送っていました(以下、『国立民族学博物館研究報告』四〇巻二号、特集「マダム・ブラヴァツキーのチベット」にもとづきます)。黒海からカスピ海にまたがるカルムィク草原です。ここにはロシア領内で唯一チベット密教を信奉する遊牧民たちが生活をしていました。つまりブラヴァツキーにとってチベット密教は幼少期から馴染みのある教えであったのです。しかも二八歳でこの世を去るその母親(エレーナ・ガン)は、将来を嘱望された小説家であり、カルムィクの仏教徒たちを主題とした小説『ウトバーラ』を書き上げています。「青蓮華」のサンスクリット表記に通じていますが、どこまで意図していたかは判然としません。

その初期、神智学は「秘密仏教(秘教的仏教)」、エソテリック・ブディズムを自称していました。その呼称はまんざら偽りではなかったのです。密教は仏教の人間的な始祖、ゴータマ・ブッダを重視しません。人間を含め森羅万象あらゆるものを産出する根源的な存在、法身を何よりも重視します。その上、カルムィク草原では、そのような大乗仏教の密教的な展開と、一神教の極であるイスラームが相互に浸透する状態にあったとも言われています。無神論の極と一神論の極が、あらゆるものを自身のうちから産出する根源的な存在、法身というヴィジョンのもとで一つに結び合わされていたのです。ブラヴァツキーは、おそらくはそのような背景をもとに、一神論、多神論、無神論が生み出されてくる太古の根源的な宗教の教えが再発見されたと称しました。「一」と「無」の間で「多」がはじめて可能になるのです。そうした教義の再発見(実は創出なのですが)を、新たな世界交通の中心地、アメリカで宣言したのです。密教こそが新たな世界宗教、グローバルな世界宗教の骨格になる、と言う訳です。それだけではありません。現代によみがえった太古の根源的な宗教は、未来を切り拓いていく近代的な科学の教えとも背馳せず、逆にその未知の可能性を指し示すものだとさえ主張しています。

神智学は近代に勃興してきた二つの科学と結びつき、それらを自らのなかに取り込んでいきます。一つは心理学です。まさに心の奥底の探究です。もう一つが生物学、生命の根源を探究する進化論なのです。海底を漂う最も小さな生命体、同時代の進化論生物学者エルンスト・ヘッケル*が観察し、その詳細を発表した「放散虫」のようなもの、無機物と有機物の性質をあわせ持った根源的な生命体(ヘッケルはそれを「モネラ」と名づけました)からあらゆる生命体が、系統立てて進化してきたのだという考えを換骨奪胎していきます。精神と物質の根源である霊的な種子から我々をはじめとするあらゆる生命が生まれ、それゆえさらに霊的な進化を続けていく、というヴィジョンです。根源的な神とは霊的な物質にして霊的な種子なのです。そこから生命という樹木が繁茂していく。まさに霊的進化の曼荼羅図です。ちなみに、いわゆる生命の「系統樹」をはじめて提示したのは、ブラヴァツキーが自身の教義の中に取り入れたエルンスト・ヘッケルその人でした。

さらにブラヴァツキーは、末木さんが先ほどおっしゃったマックス・ミュラーの『東方聖書』に結実していく諸著作を熱心に読み込んでいきます。世界のあらゆる宗教が、根源的な一者からの発生にして流出を説いている。新プラトン主義の流出論、つまりはプロティノスの哲学や、そこから一神教が発生したと位置づけ直されたユダヤのカバラ思想などを、ブラヴァツキーは自身の宗教体系に取り入れていきます。ユダヤ教、キリスト教、イスラーム、さらにはチベット密教、そしてアートマン（人間的な自我の奥底に秘められている真我）とブラフマン（大宇宙を生み出し大宇宙を統べる理法）が一致するというヒンドゥーの「不二一元論」まで、世界のあらゆる宗教を生み出し、それゆえ世界のあらゆる宗教に総合を与えるものこそが神智学だと言うのです。

新たな世界宗教にして、新たな総合宗教です。スウェーデンボルグ神学さえも消化吸収していきます。もちろんオリジナリティのほとんどない、折衷宗教でもあるわけですが、しかしその地点から力強く、人類はすべて平等であると発信していく。女性も差別しない。女性を差別しないどころか、動物も人間と平等であると考える。森羅万象あらゆるものは神の霊的な種子から生まれ、それゆえ、神の霊的な種子を共有しているわけですから。だから神智学協会は動物愛護運動や女性解放運動にも深くかかわっていく。神智学協会には、世界のあらゆる場所から、霊的な救いを求める女性たちが一気になだれ込んでくる。

ブラヴァツキーを継いだアニー・ベサントは、社会主義運動と女性解放運動を経て、神智学に出会いました。運動のあいだ、彼女は大変な重圧を受け続け、かなりの精神的なダメージを負ってしまう。そこからの劇的な回復を、神智学に淵源する神秘的な体験として自伝に書き記していくのです。その記述にウィリアム・ジェームズが深く感動する。ウィリアム・ジェームズの『宗教的経験の諸相』の中には、アニー・ベサントの自伝も取り上げられていますし、ブラヴァツキーのごく小さな宗教書にも印象的に言及されています。ベサントは神智学協会の二代目会長となりますが、神智学は、ある意味では女性たちの新宗教でもあったわけです。鈴木大拙の伴侶となるビアトリス・アースキン・レインもそのうちの一人、つまりは神智学徒でした。ビアトリスはジェームズから直接教えを受けた学究でもありました。

神智学が提唱する根源の宗教は、比較言語学の成果とも結びついてアジア、特に中央アジアにその痕跡が残されているということになります。だからその入口に位置するインドに赴いたのです。アニー・ベサントが初めてインドを訪れたのは一八九三年のことです。神智学は、世界各地に残された伝統的な宗教を、近代的に変革していくためのさまざまな運動と、相互に密接な関係を持つようになります。ブラヴァツキーは一八九一年にこの世を去りますが、その二年後、一八九三年にシカゴで万国宗教会議*が開催されます。伝統的な宗派を背負いながら近代的な宗教を模索していたアジアの若き宗教的な指導者たちが一堂に会しました。そこから鈴木大拙の活動なども本格化していく。ここにも神智学のネットワークが広がっていました。近代の総合宗教である神智学の視点をもとに、伝統的な宗教がどのように読み直されていったのか、それを明らかにするための研究はまだ本当に緒についたばかりです。

日本ですと、鈴木大拙が参加した新仏教の運動、清沢満之《きよざわまんし》たちの『精神界』の運動の双方に影響を与えます。清沢満之は神智学から直接的な影響を受けているわけではありませんが、これまで述べてきた過程を経て形になった新たな宗教哲学を自分たちの運動の中に取り入れようとしています。さらには『精神界』から分かれ出た無我愛の運動というものがあります。その中から、大逆事件で処刑される内山愚童などが出てきます。内山愚童は曹洞宗の僧侶ですけれども、その愚童や大拙らは、ともに、仏教が提唱する仏性の思想(密教の土台となった如来蔵の思想とほぼ等しいものです)、そこから展開した「一切衆生悉有仏性」や、天台本覚思想にいう「草木国土悉皆成仏」といったテーゼこそが来るべき社会主義の理念にして来るべき平等思想の理念となると明確に述べています。

また神智学のヨーロッパ的な展開の中から、ルドルフ・シュタイナーの思想が生まれてきます。シュタイナーは神智学協会とは決裂するのですが、明らかに同じヴィジョンをもって自らの道、総合芸術運動にして総合教育運動の道を歩んでいきます。現在でもシュタイナー教育は全世界に広がっていて、一つのグローバルなネットワークを形づくっていますよね。ブラヴァツキーの神智学もシュタイナーの人智学も、近代的な意味での国境、国家という概念を超えてしまう、いわばトランスナショナルな運動を内包しています。神智学には、プラスの側面もマイナスの側面もあります。有機農法などシュタイナーの思想はナチスの問題とも絡んできます。神智学、人智学の体系に生物学的な基盤を提供したエルンスト・ヘッケルは世界で初めてエコロジーという理念を提唱すると同時に、自らが提起した進化論のテーゼ、「個体発生は系統発生を繰り返す」にもとづいて優生思想を肯定します。ヘッケルの弟子たちもまたナチズムに深く関与しました。このように、霊的な進化論を唱えた神智学には明白に負の側面も存在しています。光と闇の双方を兼ね備えた運動であったと言えます。それゆえに、「近代」の宗教や芸術を考える視座としては、やはり今後とも有効であり続けるでしょう。「近代」の政治的なシステム、あるいは社会的なシステムの裏面には、そのような宗教的かつ芸術的な運動が切り離すことができないかたちで張りついていたのではないか。いまの段階で私がお示しできるのは、以上のようなものです。

**末木**　明快に全体像を示していただきました。いまの神智学の問題などもベースにしながら、このあとの議論を進めたいと思います。

## インドの近代と霊性

**末木**　一九世紀のグローバル化について、さらに考えていきたいと思います。一九世紀のアジアにおいては、帝国主義の圧迫があり、植民地化される状況があったわけですが、そのような中で霊性論の問題がどのような位置づけになっていくのか、そのあたりを、インドの場合、中国の場合をみていきたいと思います。

まずインドの場合を、岳志さんからお願いできますか。さきほど、神智学のアニー・ベサントと国民会議派の話も出ましたが、インドの近代のナショナリズムと霊性についてお話しいただければと思います。

**岳志**　インドのナショナリズム、独立運動と霊性の問題ですけれども、それを考えるためには、一九世紀のダイナミズムを、すこし整理をしておく必要があります。

どういうことかと言いますと、インド研究の中で「ヒンドゥー教の再編成」と言われる問題があるんですけれども、そもそも「ヒンドゥー」という言葉自体が、インドに内在的な言葉ではなくて、「インダス川の向こう側に住んでいる人」という意味なんですね。つまり、現在のパキスタンにあたりますが、中央アジアからやってきたムスリムたちから見て、インダス川の向こうに住んでいるよくわからない人たちを「ヒンドゥー」と呼んでいた。シンド地方と呼ばれていたことから、そこに住んでいる人がヒンドゥーになるのですけれども、「シンド」という言葉自体は「水のたくさんあるところ」という意味です。

イギリスの植民地支配の時代、いわゆるオリエンタリストたちがインドに乗り込んできて、彼らは何をやったのかというと、インドの宗教的なものを知ろうとして、在地社会の調査ではなくて、古典籍にその本質を求めたわけです。エドワード・サイードなどが指摘するところですが、文化の本質は古典籍の中にあるというまなざしが共有されていた。そのため、ヴェーダ文典とか、さまざまな古典籍を収集し、彼らがそれを体系化していくわけです。そこにおいて初めてヒンドゥーイズムというものが誕生すると言いましょうか、整理されて体系化されたものが現われてくることになります。

一九世紀のインドのいわゆる社会運動は、ソーシャル・リフォーミスト・ムーブメント（社会改良運動）と言われるものです、これがインド独立運動の一つの起源になります。ブラフモ・サマージ（ラーム・モーハン・ローイ*が設立した社会運動組織）とか、アーリア・サマージ（ダヤーナンダ・サラスヴァティーが設立した改革運動団体）などがあります。この人たちは、イギリスがある種、客体視したうえで体系化したヒンドゥーイズムなるものを、どういうふうに自分たちの社会の中でとらえ直せばいいのかを考えていく。古典籍に照らした時に自分たちのいま生きているヒンドゥー教はどう見えるのか、古典籍に書かれていないのだからそれは本来のインドの伝統ではないとか、そのような発言がブラフモ・サマージ、アーリア・サマージの中で起きてきます。

近代インドのナショナリズムの一つの原点にはアーリア・サマージのように、古典籍にヒンドゥー教の範を求め、その視点から現実社会を改良し、ナショナリズムを体系化していく運動があるのですけれども、この時にシリアスな問題が起きたのは、近代知識人たちと在地社会の対立だったわけです。本当のインドとは何か、あるいはインドの伝統とは何かという大きな論争で、ソーシャル・リフォーミスト・ムーブメントを担っている人たちというのは、古典籍に書かれているもの、イギリスが体系化したものを、真なるヒンドゥー教と見なしたために、在地社会のさまざまな伝統と言われるものは本当のヒンドゥー教ではないという批判をしていくわけです。一方で在地のバラモンたちの方は、俺たちこそが何百年も伝統を担ってきたんだと怒って、そこに対立が生まれます。それで非常にねじれた現象として起きたのがサティーの増加という問題でした。

サティーというのは寡婦殉死という問題で、夫に先立たれた妻が夫を荼毘《だび》に付す時に後追い自殺をして火に飛び込むというものですけれども、一九世紀初頭の段階ではほとんどなされていなかったのですね。しかし、イギリスがこれをある種の非文明的な行為として吊るし上げ、インドはこれだけ野蛮なんだというので、サティー禁止令を出すわけです。そうすると、それに呼応したのがインドの近代知識人たちで、「そうだ、これはヴェーダ文典にも何も書かれていない偽りの伝統だ」

というふうに、在地社会に対する改良運動の一種としてこれを取り上げる。そうすると在地社会は、「なんだ、俺たちこそが伝統の担い手だ」というので、象徴的にサティーをやり始めるんですね。一九世紀には非常に歪んだかたちで、誰が本当のインドの担い手なのかという論争の中で、サティーが復活していくという奇妙な現象が起きる。

このあたりを統合しようとする運動が一九世紀末くらいから生まれてくるのですが、その嚆矢が、ラーマクリシュナ*の弟子で後継者であったヴィヴェーカーナンダ*です。ラーマクリシュナという人は近代知識人ではないんですね。どちらかというと土着的な要素を非常に強く持った聖者の一人だと思うんですけれども、それを近代に再編成されたヒンドゥー教の枠組みでとらえ直そうとしたのが弟子のヴィヴェーカーナンダで、この二人の結合が一九世紀の末に起きた。そして、このあたりが一八九三年のシカゴ万国宗教会議なんかと結びついていく、世界的な流れだと思うんです。

ヴィヴェーカーナンダは一九〇二年に亡くなりますが、そういう土台ができたところで、インドにやって来るのがイギリスの神智学徒アニー・ベサントです。ヴァーラーナシーというインド最大の宗教都市に大学を設立しようとして、インドにやって来たと記憶しています。一九一六年に、バラーナス・ヒンドゥー大学が設立される。ちょうどガンディーが南アフリカからインドに戻って来た時期でした。アニー・ベサントはインド国民会議派に参加しますが、国民会議派を誰がリードしていくのかという問題が生じて、最終的にアニー・ベサントとガンディーはうまくいかないんです。

アニー・ベサントは力を失っていってインド独立運動の中核から外れていくという流れになり、一九一九年ぐらいからガンディーの運動が中核を担うことになります。ガンディーが草の根の人たち、文字を読めない人たちから知識人までを統括した独立運動を展開していく。そういうプロセスでインドの独立運動が推移していったわけです。

さらに、アニー・ベサントの周辺にいた人たちで言えば、オーロビンド・ゴーシュ*も非常に重要です。オーロビンドと親交のあったポール・リシャール*は、一九一六年に日本にやって来て、およそ四年間滞在します。その間に大川周明と出会うわけです。大川周明はスウェーデンボルグに非常に大きな影響を受けているし、ルソーの『エミール』の翻訳なんかもやったりしますが、ポール・リシャールを介して、神智学協会の運動と大川が結びつく。ポール・リシャールの妻だったミラ・リシャールは、オーロビンドに霊的なパートナーと認められ、マザーと呼ばれて、門弟たちの共同体である「オーロビンド・アーシュラム」の中心人物になっていったりする。そういうコンタクトゾーンみたいなものが生まれていたという流れではないかなと思います。

**末木** 私がインドの近代思想を初めて勉強したのは、玉城康四郎先生の本からでした。先生はいまだに正当な評価がなされていない方なんですが、当時はインドの近代思想についてほとんどまとまった研究がない中で、『近代インド思想の形成』という大きな本を書いています。先生はとても魅力的な方で、何とか私が仕事ができるうちに、玉城先生についてきちんと論じてみたいと思っているんです。インドの近代という問題については、中村元先生もずっと関心を持ってやってこられたわけですし、その前には、もちろん岡倉天心がかかわっています。

いまの岳志さんのお話について、いかがですか。

**若松**　「神智学」の問題について言えば、「神智学（Theosophy）」という言葉は、アニー・ベサントらによって始められた共同体・「神智学協会」の名称である以前に、宗教史において、宗派を超えた歴史的概念であることを、改めて認識しておいたほうがいいと思います。それは「神（Theos）」の「叡智（sophia）」の学であるわけです。

神智学（テオソフィー）の起源をどこまでさかのぼるかは、諸説あると思いますが、新プラトン主義の祖プロティノスに始まる霊性が、キリスト教の神秘主義の中に入ってきて、ヤコプ・ベーメ*を一つの頂点にしつつ、ある潮流を作っていきました。ヘーゲルそして西田幾多郎がヤコプ・ベーメを高く評価していたことはよく知られています。もちろん、神智学はキリスト教以外にも存在します。イスラーム神智学者で著名な人物には、井筒俊彦も論じたスフラワルディー*がいます。

歴史的な「テオソフィー」と神智学協会の運動のあり方でもっとも異なるのは、霊性的経験を「折り重ねる」か「混合する」かという点です。「折り重ねる」とき、それぞれの霊性は、その歴史と共に保持される。しかし、「混合」されるとき、霊性的事象は、ある流れの部分になっていく。

志村ふくみさんという染色家であり優れた随筆家でもある方がいらっしゃいます。彼女はこのことを「色」の世界でも語っています。染めにおいて、自然のはたらきを生かそうとするときは、色を重ねても、けっして混ぜないというのです。

まず、糸を藍色に染める。その糸をふたたび刈安からの抽出した染料に入れる。刈安からはじつに美しい黄色が出てきます。藍に黄色をかさねると、そこに緑が生まれる。しかし、藍の染料と刈安の染料を混ぜても同様のことは起きないというのです。十二単衣でもそうですが、「色の襲《かさね》」と言って、折り重ねる、混ぜない。これは霊性の公理としてもいえるのではないでしょうか。

歴史的なテオソフィーがあります。イスラームのテオソフィーがあって、キリスト教のテオソフィーがあって、もちろん仏教のテオソフィーがあるということです。それぞれが共鳴し、影響しあうことがある。しかし、それを混合させるとき、とても大切なものが失われる可能性がある。

キリスト教神学の礎を作ったトマス・アクィナスは、アリストテレスから甚大な影響を受けています。しかし、彼はキリスト教の霊性にギリシア哲学を折り重ねたのであって、二者を混合したのではないのです。

もう一つ、ガンディーとアニー・ベサントがうまくいかなかったというお話がありましたけれども、ガンディーはブラヴァツキーともイギリスで会っています。やっぱりうまくいかないんです。ガンディーは、もちろん学べることは学ぶし、神智学協会の人たちからは、彼の生涯の聖典になる『バガヴァッド・ギーター』を学んだ。これはとても重要な出会いでした。しかし、最終的にはうまくいかない。

ここに個の経験としての神智学協会と組織、あるいは共同体としての神智学協会の問題が顕著に現われています。このことをまさに象徴したのがクリシュナムルティ*による、共同体の解散です。アニー・ベサントがクリシュナムルティを担ぎ上げて、「東方の星教団」をつくる。一九一一年ですね。その時に離反したのがルドルフ・シュタイナーです。

シュタイナーと神智学協会はとても深い関係にあります。しかし、シュタイナーは共同体としての神智学協会を離れることによって、彼自身の独創的な仕事をしていくようになります。ただ、『神智学』や『いかにして超感覚的世界の認識を獲得するか』『神秘学概論』も、彼の主著は神智学と密接な関係を持っていた時期に書かれています。

神智学は、たしかにさまざまに影響を与えています。その影響は今東光《こんとうこう》の父親である今武平《ぶへい》を通じても入っていて、若き川端康成にも流れ込んでいます。シカゴの万国宗教者会議は神智学協会の働きがなければ成立しなかったかもしれない。ただ、神智学協会の意味を考える時に、その歴史を認識し、その接点と離反という、さらに新しいものが創造されていく道程を捉えないと決定的な誤認を生むことになりかねない。

そして、神智学協会に対して一番強く批判したのは伝統主義者《トラディショナリスト》と言われているルネ・ゲノン*をはじめとした人たちです。さらに伝統主義者たちと井筒俊彦も近しい関係になりながら微妙に異なる道をいく。井筒俊彦は、簡単には宗教は一つだとは言えない、という立場です。井筒俊彦の『意識と本質』というのは、さきほどの志村ふくみさんの話からいくと、重ねるんですけれども混ぜない。

あともう一つ、さきにもふれましたが、中世のテオソフィーで言うと、何と言っても見過ごせないのはヤコプ・ベーメです。ヤコプ・ベーメは、もともと靴屋で、いわゆる正規の教育を受けていない。テオソフィーの源流が、近代のアカデミズムとはまったく違うところから湧出していることも留意すべきだと思います。しかし、神智学協会になっていくと、言語というものが大きな力を持つようになる。歴史的なテオソフィーはむしろ逆だということです。言葉を扉にしながら沈黙の世界のほうに入っていくという大きな潮流があって、そこもあまり混同しないほうが良いと感じました。

**末木**　貴重なご指摘、ありがとうございます。まさにおっしゃる通りで、神智学は何でもひとまとめに考えるけれども、ちゃんと切り分けて見ていく必要があるんじゃないか。いままで神智学は、アカデミックな、あるいはオーソドックスな言論の場からは外されてきていた。それを復活させていくうえでの議論ですので、非常に危ない要素と、非常に重要な要素が混じっている。それをどう受け止めていくのか、大きい問題だと思います。

若松さんにお聞きしておきたいのですが、カトリック的な立場といいますか、一九世紀から二〇世紀ぐらいのところでの正統と異端の問題というのは、どんなふうに考えられているのか、すこしコメントしていただけますか。

**若松**　まず、正統と異端という考え方はキリスト教内の考え方です。エックハルト*が異端視された、あるいはトマス・アクィナスすら異端視された、いまトマス・アクィナスはど真ん中にいるわけですけれども、いま本流にいる人が、かつて異端視されていなかったとは言えない。「異端」というのは、その時代の評価において異端になったり、また戻ったりするということだと思います。

キリスト教とほかの宗教を考えていく時には、正統と異端という問題よりも、正と邪という問題になると思うんです。なぜかというと、これはキリスト教が、猛省しなければいけないことですが、自分たちの宗教以外を「邪教」と呼んでいた時代があります。キリスト教だけが正しいのであって、そうではないものは邪なものである、という考え方が長くあった。

第二バチカン公会議以降、ヨハネ・パウロⅡ世の時代になってすらその余波があった。そこに異議申し立てをしたのがティク・ナット・ハン*です。ティク・ナット・ハンは「私たちはキリスト教と深く対話をしたいと思っているけれども、あなたたちが仏教をそのようにしか見ないのであれば、対話が成り立たないじゃないか」と、『Living Buddha, Living Christ（生けるブッダ、生けるキリスト）』の中でとても強い言葉で批判するわけです。それ以降、やっとカトリック教会が本当の意味での対話を始めるわけです。

第二バチカン公会議において、キリスト教は諸宗教との対話の中で本当の意味での普遍宗教になっていかなければならない、という大きな方針が出されます。それまでのキリスト教は、自分たちはすでに完成されているからそれを守っていくというスタンスだったのですが、完成されつつある、というふうに現在進行形へと変わった。ほかの宗教団体あるいは宗教者たちとの対話の中に、自分たちの不完全性を発見していくという方向に緩やかに変わっていくわけです。

ある修道会をダライ・ラマが訪れた記録が本になっています。そこで重んじられたのは、言語による対話よりも、沈黙を分かち合うことでした。井筒俊彦的に言えば、「対話の彼方」ではなく、「彼方での対話」というべき方向になっていく。井筒俊彦は、二〇世紀は対話の彼方に何かを見つけようとしてきたけれども、これからは彼方での対話が大事なのだということを「対話と非対話」という論文の中で書いています。それが二〇世紀後半になってカトリック教会がとり始めた他宗教との交わりのスタンスです。

**末木**　ありがとうございます。非常によくわかりました。

## 中国の近代と霊性

**末木**　霊性論の問題になると、どうしても中国が重要だと思うのですが、中国の近代と霊性について、隆博さんからお願いします。

**隆博**　中国における霊性論で言えば、ずばりそのまま霊性という概念ではないのですが、すぐに思い浮かびますのは「成聖」、つまり聖人になるという運動です。

近代において、なんでまた聖人なのか。これはなかなかに興味深い問題です。すこしその背景を申し上げますと、『荘子』に「内聖外王《だいせいがいおう》」という言葉があります。つまり、自分の内部で聖人になる。あるいは聖人のようなある種のプラクシス、実践ですね、それが自分の内部でできることが、そのまま外側の制度、政治的な制度を担保するのだという理想があるわけです。『荘子』の言葉なんですが、これを儒教のほうが取り入れまして、儒教の理想というのは「内聖外王」であると、こういう言い方をしていくようになります。

近代の難題は、「外王」が変わってしまったことなんです。それまでの皇帝とか王ではなくて、たとえばそこにデモクラシーが入ってくる。あるいはサイエンスが入ってくる。それらに対して、「新外王」という言い方をするんですね。では、この新しい制度、政治的あるいは科学的な制度に対して、それを担保するような新しい「内聖」とは何か。この問いが中国の近代において生じたわけです。

いろいろな人が熱心に取り組んでいくのですが、たとえば仏教のほうで言いますと、欧陽竟無《おうようきょうむ》*（欧陽漸）がいて、支那内学院というのをつくるんです。これは唯識を研究するんですね。支那内学院ができたのは一九二二年です。西田幾多郎や鈴木大拙とは一歳違いです。彼が何をやろうとしたかというと、「仏学」ということを主張します。つまり、従来の仏教ではない、「仏学」という新しい仏教のあり方を模索しなければいけない。雑誌を出版したりするのですが、たとえば「ベルクソン特集」などを出しています。ベルクソンは非常に強い影響を与えているようで、欧陽漸は当時の世界的な概念の循環にとても関心があったようです。ですから、「仏学」というかたちで近代的に宗教化された、そういう仏教が目指されたのだと思います。

そこで学んだ一人に熊十力《ゆうじゅうりき》*という人がいます。彼は一九三二年に『新唯識論』というものすごい本を書きます。この熊十力が当時の中国の霊性を象徴する人物だと言われています。ある種の生命体験を非常に重視して、単純な理智による了解ではないもの、これに向かわなければいけないと言うわけです。

熊十力は、単に仏教だけではなくて、儒教も研究します。そこから、いわゆる新儒家という非常に強力な思潮が登場します。その代表が牟宗三《ぼうそうさん》*という人で、一九〇九年の生まれですから、けっこうあとのほうになるんですけれども、彼は仏教的な霊性概念みたいなものと儒教的なものを混ぜ合わせて、さっき申し上げた「内聖」と新しい「外王」、この関係を何とかつなごうとするわけです。かといって単純につなぐことはできませんから、非常に概念的な操作をする。この人はカントを翻訳したりもしていますので、ドイツ哲学になじんでいるわけですね。たとえば「自我坎陥《かんかん》」――一種の自己否定とか、曲がった仕方でつながる、直接ではなくて曲接するんだ、こういった概念を使って新時代の新しい「内聖」を目指し、新しい「外王」につなげようとしました。こういった新儒家運動が、私が思い浮かぶ中国の近代の霊性運動のひとつです。

そのすこし手前も見ておきたいのですが、欧陽漸の前に、たとえば康有為《こうゆうい》*という人がいて、キリスト教はキリストの教えだとして、それに倣って儒教を孔子教、あるいは孔教に変えよう、としました。つまり孔子の宗教的な教えに変えようとしたのです。キリスト教的な宗教としての儒教を中国で立ち上げようとしたわけです。この試みはすぐ頓挫するのですけれども、しかし孔子教の影響というのは案外大きくて、近代にふさわしい儒教とは何かという時に、やはりキリスト教的な意味での宗教にしないといけないんじゃないか、と問われるようになります。これがそのあとの、熊十力とか牟宗三にも影を落としているのです。

いま「影」と言いましたけれども、康有為は何をイメージしていたかというと、一つはもちろんプロテスタントですけれども、もう一つは陽明学を意識していました。しかも日本経由の陽明学です。日本は一九世紀末から二〇世紀にかけて陽明学を体制化して使っていくようになるんですね。陽明学の別名は心学ですから、心の問題、近代的な個人の内面の問題にそれを重ねるんですけれども、それを探究できるとしてしまったんです。陽明学というのはまさに誰もが聖人になれるということまでを言った、過激な運動でもありましたから、日本経由の陽明学的な議論、それを康有為が中国でも取り入れようとした。これは大きいと思うんです。

日本の側は逆に、康有為たちの孔子教に非常に反発をするんです。儒教を宗教化させてはいけない。断固、いけない。東大の服部宇之吉《はっとりうのきち》*なんかを中心にそう批判していったのですね。服部は、西田幾多郎や鈴木大拙よりは先輩で、三つぐらい歳が違うはずです。儒教の宗教化を徹底的に退ける。そのかわりに儒教の道徳化をするんです。井上哲次郎のような国民道徳論のほうにつながっていく議論なんですが、宗教化を退けることは道徳化していくことであったわけです。和辻哲郎なども、その系譜で孔子を読みます。さきほど和辻の『孔子』をご紹介しましたが、人類の教師の中で唯一死について問わなかった、これが孔子だというんですけれども、あれも結局、宗教的ではなく道徳的に読むという、日本の近代の儒教読解の流れなんですね。でも、前近代の日本はまったくそんなふうには読んでいませんでした。服部は、しきりに荻生徂徠を批判します。徂来には、非常に宗教的に『論語』を読んでいるところがあるからです。ですから服部たちの闘いは、儒教の宗教化を批判しなければいけないと同時に、前近代の日本を批判して、宗教ではいけない、道徳としての儒教を立てなければいけないという感じなんですね。いまの私たちに道徳化された儒教のイメージが強いのは、こういった背景があるからです。

逆に中国のほうでは、儒教は極めて宗教的な方面で読まれていく。ただ、新儒家の運動は、その後大陸では排除されていきますから、台湾とか香港とか、そっちに移りますので、逆に大陸では今度は道徳化された儒教が登場するという、なかなか皮肉な現象があるかなと思います。

**末木**　中国の近代の流れというのは、孫文の辛亥革命から共産革命に流れていく。その間に五・四運動なんかが入ってくるわけで、要するに前近代の宗教性みたいなものをどんどん否定していくのが中国の近代なんだという方向で勉強してきたものですから、いまのお話は、そういう近代の中国そのものを全体として見直すことに通じると思います。

孫文は、どのように位置づけられるんですか。

**隆博**　孫文は、キリスト教にも近かった人ですね。だからある意味で非常に宗教的な人だったと思うんですけれども、そういった面が何となくうまく表現されないまま終わっていますね。

いま五・四運動のことをおっしゃいましたけれども、中国近代の啓蒙の旗手というのは胡適ですよね。胡適は、アメリカで自分はすんでのところでクリスチャンになるところだったと述懐しています。実はキリスト教の問題をものすごく、胡適は胡適なりに真面目に考えていて、この問題をちゃんと考えない限りは啓蒙なんて言えないんじゃないかということまで言っています。ですから、単純な啓蒙というわけではない。

啓蒙の話が出たのでちょっとだけ付け加えますと、たとえばカントが「啓蒙の敵は宗教である」と言いました。人間を未成年状態、つまり自分で判断をしない状態に宗教は陥れてしまう、だからこれを脱しなくてはいけないと言います。でも、カント自身は本当に宗教的なものから離れたのかというと、そんなことはありません。『実践理性批判』を読みますと、神が道徳の根拠の最終的なものとして登場したりするわけです。またスウェーデンボルグとかの問題を、カントは非常に意識している。だから、ヨーロッパ近代の啓蒙と言っても、そんなにしっかりしたものではなくて、坂部恵先生がおっしゃったように「理性の不安」という中で、かろうじて語られてきたものなのかな、と思います。

私は「近代」というのは、一つの時代区分であると同時に、ある種の態度だという気がするんですね。その態度というのは二つあって、一つは過去に対する態度、もう一つは神と人間に対する態度だと思うんです。ヨーロッパ近代が成立するにあたって、キリスト教の聖書の神による創造、この過去よりも古い過去があるという、この問題は決定的だと思っています。それをインドですとか中国に見てしまったわけですね。あるいはエジプトもそこに登場するんですけれども、神による世界の創造よりも古い歴史があったらどうなるのか。これは、けっこう深刻だったと思うんですね。ですから、どのような過去をどういう態度で扱うのか、これが「近代」にとって大きな問題だったという気がするんです。それで、たとえばギリシアというのが特権的な過去として登場したりするようになるんですけれども、それよりも古い過去というのを見てしまったわけですよね。それをどうやって処理するのか。たとえばライプニッツなんか、中国のものを若い頃から晩年までずっと読み続けて、いちばん最後に書いたのは『中国自然神学論』です。

そういうふうに考えていくと、ヨーロッパ近代の成立というのはヨーロッパだけで成立したと考えないほうがよくて、概念の世界的循環の中で、非常に厳しくヨーロッパのアイデンティティが問い直されたことがあったのではないか。その中で、神の位置が問われるわけですよね。そして、神の代わりに人間が浮上してきます。人間中心主義ですね。これがヨーロッパ近代の特徴だと思います。だから、ヒューマニズムと言っても、人間中心主義という気がしてならないんですけれども、そういう態度がつくられたのではないでしょうか。

中国のものに対しても、最初は非常に持ち上げていたんですよ。ところが、ヘーゲルの時代になってくると、逆転を起こすんですね。完全に周縁化していきます。どうして起きたかというと、それまで哲学というのは中国のものだったんです。中国の哲学者孔子だったんです。そういう本が出されます。なぜ哲学かというと、当時のヨーロッパは神学のほうが上ですから、神学、哲学の順でしょう。ところがカントの『諸学部の争い』、あれで逆転するわけです。哲学、神学の順になってくる。そうすると今度は、哲学をヨーロッパが自己領有しなければいけない。中国を排除していきます。「中国に哲学はない」というのが、その後の言説として登場します。中国はプリミティブな宗教的な段階であるみたいな言い方も、その時に出てくるわけです。つまり、世界の配置の変更というのが、一八世紀から一九世紀にかけて大きく生じてしまったのではないか。その「影」の中に、まだ私たちはいさせられているんじゃないか。もちろん、その「影」が次には、中国や日本に入ってきますから、それにどう反応したのかが問われるわけです。さきほどご紹介したのは、その反応の一つです。大きな概念の世界的循環で見ていくと、新しい「近代」のとらえ方が、すこし見えてくるのかなと思いますね。

**末木**　一八世紀から二〇世紀にかけての非常に大きい動きの中で「近代」をとらえていかなければならない、ということですね。かつての「近代」を理想化していく流れというのは、ヨーロッパ近代をほとんど唯一の「近代」として見ていたわけですが、そのヨーロッパ近代のとらえ方自体が、今後はまったく変わってくると思います。アジアの問題も含めて、やはり一九世紀あたりでグローバルに大きく動いていたのだろうと思います。

## 日本の近代と霊性

**末木**　ここからは、すこし日本の近代のとらえ直しについて考えてみたいと思います。はじめのほうで、隆博さんに日本における霊魂論の問題に触れていただいたのですが、私もずっと関心を持っておりまして、安藤さんが言われたような新仏教の運動でも大きい問題になっております。

一九世紀の終わり頃に霊魂論とか霊魂不滅論についての本がいっぱい書かれているんですね。キリスト教の人も書くし、仏教の側も井上円了などを含めて書いています。なぜ日本で盛り上がったのかについては、キリスト教の霊魂不滅説が入ってきたことがきっかけだと思っていたのですが、実は一九世紀に、神智学のほうでも霊魂論の問題が非常に大きくなっていたことがありました。従来は、死後の問題、輪廻の問題などは、「近代」ではなくなっていくものと考えられていたのですが、そうではなくて、むしろ一九世紀後半ぐらいから逆に議論が盛り上がってきている。日本の霊魂論というのも、ほぼそれと同時代の現象としてとらえることができるのではないか。

明治三八年(一九〇五)に『来世之有無《らいせのうむ》』という本が出ています。『新仏教』という雑誌が、いろいろな人にアンケートをしてその結果をまとめた本です。これまでの近代思想史では、消されてしまっているというか、ほとんど取り上げられていない。我々の「近代」の見方、それは世界全体の「近代」についても、また日本の「近代」に限っても、かなり偏っていたと思わざるを得ないわけです。

私自身がなぜ神智学に踏み込み始めたかといいますと、幸徳秋水が大逆事件で首謀者として処刑されるわけですが、獄中にまで持ち込んで最後に完成させたのが『基督抹殺論』です。いわゆる社会主義の系統の中でとらえられていたのですが、キリスト教批判、あるいはキリストの存在そのものを否定する議論をどこから持ってきているかというと、七、八割ぐらいが、さきほどから話にでているアニー・ベサントの本に拠っています。もっともベサントが神智学に入る前の著作ですので、それで幸徳秋水をただちに神智学と結びつけるのは不適切だと思いますが、幸徳は明らかに新仏教の人たちとも親しくしていました。そういうことを考えると、意外と神智学関係の議論は、日本の近代の奥深くにまで入ってきているのではないかと思います。

折口信夫であるとか、南方熊楠、鈴木大拙、西田幾多郎、ほかに宮沢賢治や近角常観《ちかずみじょうかん》なども含めて、そういう人たちをトータルで考えた時に、従来の思想史の研究では無視されてきたような霊性論が、当時は大きく議論されていたことがわかります。そのあたりのところ、みなさんそれぞれご意見をお持ちかと思いますが、すこし議論できたらと思います。

安藤さんはいま南方熊楠をやっていらっしゃるとのことですが、まずはお話しいただけますか。

**安藤**　南方熊楠と鈴木大拙は、互いに非常によく似たバックグラウンドを持っているんですよ。一つは、さきほどから話題に出ている一八九三年のシカゴ万国宗教会議です。熊楠の「曼陀羅」(以下、熊楠はこの表記を用いている場合が多いのでそれに準じます)の重要な源泉、その文通相手となる土宜法龍《どきほうりゅう》*も、大拙の「霊性」の重要な源泉、大拙に禅を実践的に教授したその師匠、釈宗演《しゃくそうえん》もともにそこに参加しています。熊楠や大拙は実際には参加してはいないのですが、熊楠の曼陀羅も、大拙の霊性も、その真の起源は、この万国宗教会議にあったと私は思っています。

万国宗教会議には、仏教だけに限りますと、釈宗演(臨済宗)、蘆津実全《あしづじつぜん》*(天台宗)、土宜法龍(真言宗)、八淵蟠龍《やつぶちばんりゅう》*(浄土真宗)の四人が参加します。非常に若く、同時にきわめて優秀で、各宗派を公的にというよりは私的に代表するような形で会場にやって来ました。彼らがまず立ち向かわなければばならなかったのは「大乗非仏説」でした。ヨーロッパの研究者たちがサンスクリットの経典をどのような方向で読み解いていったかというと、キリスト教と同じで、なによりも始祖伝なんですよ。イエスと同じように、仏教の教えのエッセンスはブッダの始祖伝、その言行録(つまりは「福音」ですね)に帰着する、というわけです。ですから、いわゆる上座部仏教を仏教思想の中心だと考えた。文献学の成果からすれば、釈尊滅後五〇〇年以上経たないと現われてこない大乗仏典とは、完全につくりものである。ブッダが直接説いたものではない(このことを「大乗非仏説」と言います)。だから、そこに与えられた評価はきわめて低かった。しかし、それでは、その大乗仏教経典に依拠する極東の仏教の価値とは、一体どこにあるのか。熊楠の師、大拙の師にあたる若き仏教界の指導者たちが考えなければならなかったのは、その点に集約されます。

彼ら、そして彼らを支援していた者たちは、自分たちの主張をコンパクトな形にまとめた小冊子を、日本語と英語のバイリンガル版としてつくっていきます。そこに「霊性」という言葉が現われます。英語では大文字から始まる「心(Mind)」です。大文字の「心」、すなわち「霊性」こそが精神と身体(物質)という分断を乗り越え、あらゆる二元的な対立を一つに調停することができる。大拙が『日本的霊性』の冒頭で展開する「霊性」の定義そのものです。そこにこそ「東方大乗仏教」の持つ可能性が秘められている。それを世界に向けて発信する。師匠たちの営為を引き継ぐ形でアメリカに渡った大拙が手がけた最初の大きな仕事こそ、まさに大文字の「心」を主題とした『大乗起信論』を英語に翻訳し、出版することでした。

この『大乗起信論』こそ、根源的で無形の法身から始まり、それがさまざまな形のいわば原型である報身へと展開し、具体的な形を持った個物である応身を生み出していくという大乗仏教の「三身論」を説いたものでした。法身という大宇宙の原理から森羅万象あらゆるものが産出される。宇宙とは一元的でなおかつ汎神論的な体系を持っている。その上、その法身は、我々に超越するのではなく内在している。人間のみならず森羅万象あらゆるものは「心」の中に、覚りを得た如来となるべき可能性をあたかも胎児のように宿している。「心」の奥底にひらかれる「アーラヤ識」は「如来蔵」であり「真如(宇宙の真理)」である。その点を明らかにしたところに「東方大乗仏教」の可能性が秘められている。それが大拙の出した結論です。大拙は、その見解を、生涯を通して貫いていきます。また、そこにこそ神智学的な世界観と共振する点があります。後に大拙とビアトリスは、「東方仏教《イースタン・ブッディスト》」*Eastern Buddhist*と題した雑誌を編集し、自宅を神智学の支部として開放します。

しかし、万国宗教会議の会場では、大拙の師となる四人の若者の演説はそれほど注目を浴びなかったといわれています。対照的に、インドを代表して演説したヒンドゥー「不二一元論」のヴィヴェーカーナンダと、上座部仏教のアナガーリカ・ダルマパーラ*は大喝采を浴びます(ダルマパーラと神智学の間には深い結びつきがありました)。ただし、そのヴィヴェーカーナンダは、実は仏教こそがヒンドゥー教を真に完成させるものなのだと言ってくれていました。岡倉天心を大いに感動させた演説です。そのあたりから、「東方大乗仏教」を成り立たせている諸原理もまた、普遍的な世界宗教の原型になり得るということになっていくわけです。

南方熊楠と鈴木大拙も、大乗仏教を世界宗教の原理として鍛え直すために、つまりは大乗仏教の教義を近代的に読み直すために、英語で記された最先端の人文諸科学の書物を読み込んでいきます。その軌跡は、現在では、それぞれの蔵書目録としてまとめられています。それらを確認していくと、二人とも大変よく似た読書傾向を持っていたことがわかります。生物学、宗教学、心理学、具体的には進化論、比較宗教論（神智学）、深層意識論（心理学）の分野で、大きく共通する書物を読み込んでいます。「心」の奥底にひらかれる「アーラヤ識」を探るためには心理学（深層意識論）が、森羅万象あらゆるものに孕まれている如来となるための種子である「如来蔵」を探るためには生物学（進化論）が必要だったのです。心理学と生物学の交点に新たな宗教学（神智学）の体系が打ち立てられていきます。熊楠の「曼陀羅」、大拙の「霊性」が完成するのはその地点になります。

まず進化論ですが、熊楠も大拙も、エドワード・ドリンカー・コープ*という古生物学者が著した書物を読み込んでいます。それに並行する形で、二人ともブラヴァツキーの書物を読み込んでいます。しかしながら、熊楠は『ヴェールを剝がされたイシス』、大拙は『シークレット・ドクトリン』と、読み込んでいった書物はそれぞれ異なります。心理学となると、二人とも異なる著者、異なる書物を選びます。熊楠はイギリスの心霊学者フレデリック・ウィリアム・ヘンリー・マイヤーズ*の書物（『人間の人格とその死後の存続』）を、大拙はアメリカの心理学者ウィリアム・ジェームズの書物（『宗教的経験の諸相』）を読み込み、ともに大きな影響を受けます。しかしながら、実はこの二人、マイヤーズとジェームズは、イギリスとアメリカで、ともに心霊学協会の会長を務め、互いに影響を与え合う関係にありました。死者からのメッセージを受け取る霊媒たちが明らかにしてくれる人間の潜在意識の持つ無限の可能性に魅せられていました。

熊楠と大拙と、二人はきわめてよく似ていますが、当然のことながら大きく異なった点もあります。熊楠は禅を嫌い、大拙は密教を正面から論じたことはありません。それでも「アーラヤ識」を探るために心霊学的な心理学の書物を、「如来蔵」を探るために進化論的な生物学の書物を読み込んでいった点では共通しています。しかも、二人がともに読み込んでいた進化論の書物は、ヘッケル的な個体発生（胎児）と系統発生（胚）を一つに重ね合わせる進化論でありながら、前進的な進化以上に、後進的な退化の方向に種の変化の可能性を見出す特異な進化論でした。優生学的な全体主義には根底から抗うものです。若き大拙は仏教的な社会主義に希望を見出しており、熊楠は明治国家が布告した帝国主義的な政策、神社合祀令に徹底的に反対する運動を理論的かつ実践的に組織していきます。その根底には、未来の一点に向かう進化ではなく、過去のさまざまな可能性をそのまま保持している退化を主題とした進化論的な思考があったはずです。

熊楠を例として考えてみれば、熊楠が生涯をかけて探究した粘菌という存在に、そのことが最もよく現われています。粘菌は、「一」なる動物の生態と「多」なる植物の生態を交互に繰り返しています。一なる動物から多なる植物が生まれ、それがまた一へと還ってゆく。粘菌は、動物と植物に分かれることなく、両者の生態を保持したまま独自の生を営んでいたのです。熊楠が注目し続けたのは、顕在的に分化する以前の、潜在的な混沌状態を保持したままの生命体でした。そうした混沌を秘めた根源的な生命体が棲息していたのが人間の手が入らない自然のままの森だったのです。熊楠は、エコロジーという理念を掲げて、そのような森を守ろうとしたのです。熊楠のエコロジーとヘッケルのエコロジーは起源を共有してはいますが、その帰結は正反対となるものでした。熊楠の粘菌は、生物学、心理学、宗教学が一つに重なり合う如来蔵の現代的な表現だったはずです。宗教的であることが最も政治的だったのです。

熊楠が反対運動を繰り広げた神社合祀令の直接の原因は日露戦争にあったと言われています。ロシアとの戦争に勝利したとは言え、そこに費やされた戦費は膨大なものでした。しかも世界は帝国主義的な世界戦争の時代に入ろうとしています。明治国家が、正真正銘の資本主義的な世界帝国になるためには、中央集権化と近代的な工業化が急務でした。そのために選ばれたのが、小さな共同体の信仰の中心である、名もない神社が守っていた聖なる森でした。熊楠は、小さな共同体の精神的かつ物理的な破壊に全身全霊をあげて抗いました。そうした熊楠が組織しようとしていた自然保護運動に支援の手を差し伸べたのが、熊楠が生活していた和歌山県田辺で、『牟婁新報《むろしんぽう》』という新聞を発刊していた毛利清雅《もうりせいが》*（柴庵）という人物でした。毛利は、田辺にある真言宗高山寺の住職（後に僧籍を返上）を務めながら、大拙も密接な関係を持っていた新仏教の運動にも主体的に参加していました。ここでも熊楠と大拙の生が交錯します。この神社合祀反対運動の過程で、熊楠は柳田国男と知り合います。そこから民俗学という新しい学問が生まれるとともに、同じ年に大逆事件が起こります。大逆事件もまた、神社合祀令と同一線上の、明治国家の中央集権化の結果として生起します。毛利は大逆事件で処刑されることになる大石誠之助を『牟婁新報』の新宮支局長として雇い、事件後も付き合いをやめることはありませんでした。筋金入りの反体制的な「社会主義仏教者」でした。

宗教こそが最も政治的な運動を組織し得たのです。熊楠と大拙のアーカイヴが明らかにしてくれることはそれだけではありません。熊楠と大拙の双方の蔵書の中に確認できるエドワード・ドリンカー・コープの書物。そこで提示された、前進的な進化と後進的な退化が拮抗し合っているというヴィジョンに震撼させられたのはアメリカ人や日本人ばかりではありませんでした。コープの進化論を基盤として独創的な進化論、精神と物質の双方を同時に思考することを可能にする哲学的な進化論を構想したフランス人がいます。アンリ・ベルクソンの『創造的進化』です。二〇〇〇年代に入ってようやく詳しい注釈が付けられるようになったベルクソンの著作集の中で、『創造的進化』を書く上で、ベルクソンの大きな参照源となったのがコープの書物（『有機的な進化の主要因』）であることが明らかにされました。

生命は、精神的(意志的)な「生命の飛躍(エラン・ヴィタール)」にもとづいた前進的な進化の方向に、新たな形を生み出していく可能性を持っている。後進的な進化の方向には、その結果として、さまざまな身体(物質)が形づくられる。ベルクソンにとっての神とは、「生命の飛躍」を可能にする原初の意志(意識)でした。それはコープの考え方そのものです。つまりは、熊楠の曼陀羅や大拙の霊性と完全に重なり合う、アーラヤ識にして如来蔵が身にまとうもう一つ別のペルソナだったことになります。ベルクソンによる創造的進化の理論は、西田幾多郎の生命論ばかりでなく、それ以上に、西田哲学の根底的な批判者となる田辺元が構想した「種の論理」として換骨奪胎されていきます。

わかってみれば当然のことなのですが、近代日本哲学と近代世界哲学の動向は密接に関連し合っていたのです。世界の哲学が日本の哲学であり、日本の哲学が世界の哲学だったのです。同じことは宗教に関しても、そのままあてはまるでしょう。そのこと、つまりは世界と日本の相互関係は、重重無尽に重なり合う、翻訳と解釈と創作の無数のネットワークによって可能になりました。そうしたネットワークを解き明かしていくことによって、近代日本の「霊性」のあり方がより明確に理解されるのではないかと考えています。

**末木**　ちょうど一〇〇年前ぐらいに出来上がってきた、日本の近代の精神世界の地図のようなものを示していただきました。

私自身に関連するところで申し上げますと、実はいま、熊楠と文通していた土宜法龍をすこしやりたいと思っているんです。土宜法龍は御室派の管長になり、最後には高野派の管長になっていまして、真言宗のトップに昇り詰めるわけです。三教会同といって、仏教とキリスト教と神道の代表者が集まった日本の中での宗教会議をやるわけですが、これは国が主導したというので評判が悪いんですけれども、それなどにも積極的にかかわっていくんですね。

土宜法龍はけっこう面白い人物で、シカゴの万国宗教会議の時に、すべての宗教は最終的には一つになるみたいなことを正面から言っていますし、何でも統合していこうという志向性がものすごく強くて、南方熊楠とはロンドンで知り合うわけですが、熊楠より一〇歳近く年上なんですが意気投合します。熊楠の方も、何十ページにわたるほとんど論文のような長い手紙を書いて、その中でのちに「南方曼陀羅」と言われるようなものを示しています。

土宜法龍は、ブラヴァツキーの系統をヨーロッパの仏教徒として考えているわけです。そこから刺激を受けたのかもしれませんが、いままで日本だけで仏教を考えていたけれども、チベットを勉強しないといけない、チベットに旅行したいと言って、結局それは実現しなかったわけですが、非常に先進的な仏教観を提起しています。南方熊楠の初期の思想は、土宜法龍によって触発されながらつくられたと言うことができると思うんです。

**安藤**　そのことは間違いのない事実です。

**末木**　近代仏教の研究について言えば、真宗系統は進んでいます。それに対して、真言宗系統、密教系統の近代思想が、いままで十分に考えられてこなかったのではないか。お話にでた毛利清雅も真言系の人であって、新宮グループのほかにも、管野スガや荒畑寒村などを『牟婁新報』の記者として雇っているんですね。そういう当時の社会主義者を結びつけていくような役割も果たしている。もう一度、近代の中で真言宗系統のことを考えてみる必要があるのではないか、それが一つです。

もう一つは、法華経－日蓮という非常に重要な系統が、なぜか近代知識人の中で抜け落ちていることです。西田幾多郎もそうで、鈴木大拙でも抜け落ちているんですね。日蓮主義というと、テロリズムと結びつく危険な思想であるかのように見られてしまった。その問題は、近代の思想の中で、もう一度考え直さなければならない点かなと思っています。

**若松**　鈴木大拙が神智学協会から離れていく、あるいは離れていってもよいと決断した理由には、エックハルトの影響があるのだと思います。エックハルトはゴット(Gott)とゴットハイト(Gottheit)、神と神性ということを言うわけです。神性のほうが奥深く、神は神性のある姿を持った限定なのだという考え方です。こうした神学を標榜したことがエックハルトが異端視されていく要因になるのですが、それは他の霊性との対話がはじまるための結節点になった。人格性の奥に何かを探していこうとする態度、それは近代的というよりも、神秘主義の中では根深い伝統だと思うんです。エックハルトはドイツの人ですから、東西を問わず、ある伝統の中の出来事が時代に跋扈してくると考えたほうが正解だと思います。

一〇〇〇年の軸の中で考えてみると、「近代」はある季節だということがわかる。それは特有の季節と考えるよりも、ある時間軸の中の何度目かの冬、何度目かの春というふうに考えるほうがよいのではないかと思ったりすることがあります。

**岳志**　いま若松さんがおっしゃったことと非常に近いことを考えていたのですが、レヴィ＝ストロースという人を介するとわかりやすくなるのかなと思います。レヴィ＝ストロースは純粋歴史ということを言いますけれども、彼が言っているのは、「冷たい社会」と「熱い社会」という二分法なんですね。「熱い社会」というのは、過去から未来に向けて発展的に時間が流れていると考えるような社会。エントロピーが高いような社会ですね。それに対して「冷たい社会」というのは、一見すると変化がないように見えるような社会である。エントロピーが小さい社会なわけですけれども、レヴィ＝ストロースは「冷たい社会」をどう見るかに非常に強い関心があった人で、近代の「熱い社会」は歴史を出来事として見ている。それに対して、いわゆる未開というふうに西洋人たちが見てきた社会には、年表化されるような出来事の歴史ではなくて、神話的な構造を持った歴史というものが存在している。重要なのは一種の神話的構造にアクセスすることである。それはまさに、サルトルに対する批判だったわけですね。サルトルは「熱い社会」の方を、主体となって革命をやっていこう、と。六〇年代に彼が『野生の思考』を書いたのは、そういうサルトル批判の延長でもあったわけです。レヴィ＝ストロースを読んでいると南方熊楠と非常にクロスするところがたくさんあります。

それは何かというと、彼はカレイドスコープ（万華鏡）の話をするんですけれども、「野生の思考」というものはある種の神話的な思索であり、それは万華鏡とか雪の結晶とか、シダ植物とか放散虫とか、こういったものの構造の中に表われている、という言い方をするんです。現在的な言い方をすると、フラクタルという構造だと思いますが、これが森と粘菌、そして曼陀羅というものの構造にあたるのではないか。同じものを彼らは見ているという感じがするんですね。

フラクタルは全体と細部というのが相似形になっているものだと思いますが、レヴィ＝ストロースの頭の中にあったのは、世界のさまざまな宗教というものは、このフラクタルな構造を持っている。キリスト教における教会の薔薇窓が彼の神話を語る時には非常に重要になってきますし、あるいはアラベスク文様などもそうです。そういうものが現代の中ではどんどんやせ細っていて、唯一残っているのは芸術の世界である。芸術こそがシンボルに対する強い欲求を持っているので、そういうものが残っている。また民衆世界の中には、たとえばインドネシアのバティックとか、あるいは沖縄のかりゆしとか、アイヌの民族衣裳とか、そういうところにも残っている。たぶん柳宗悦も同じですね。「文様こそが自然の自然である」という言い方をしていたと思います。

大きなカテゴリーで言うと、熊楠もレヴィ＝ストロースも人類学者であるわけです。この人類学的思考というのが非常に重要だと思って聞いておりました。

**安藤**　ありがとうございます。私もまた、熊楠と大拙を共通の地平から考えることが可能になってくれば、この日本で、人類学と哲学とを一つに重ね合わせることができるのではないかとの希望を抱いています。新たな学問の雛形ですね。もう一つ、エックハルト的な「神性」ですが、大拙もまた法身を定義するために、『大乗起信論』の英訳を基盤としてなった初期の英文著作、『大乗仏教概論』（一九〇七）の中で早くも用いています。さらに、これは中島隆博さんに教えていただいたのですが、『大乗起信論』英訳以前、つまりは一九〇〇年以前に、大拙はその下で働いていたポール・ケーラス*の協力者（実際は大拙がほぼ一人で行ったとされています）として老子道徳経を英訳するのですが、すでにその段階で、ケーラス自身が、老子の「無」とエックハルトの「神性」を重ね合わせるような議論をしています。それは、大拙の晩年の英文著作、『神秘主義』（一九五七）での議論を先取りするものです。大拙とエックハルトの関係も一筋縄ではいかない、きわめて錯綜した、複雑なものがあるはずです。「近代」とは、読むことと書くことが何重にも重なり合い、反復し合う、複雑奇怪な解釈の解体とその再構築の時空なのではないでしょうか。最近切実にそう思っています。

**末木**　哲学と民俗学、あるいは人類学について言いますと、私自身が、死者の哲学を、冥と顕の世界というふうにつくっていった時に、「なんだ、柳田が言っているじゃないか」と思ったんです。ところが柳田は、ひとまずこういうものがあります、というかたちで事実として提示するわけで、ある意味では逃げといいますか、逃げられるようにしている。つまり、自分はそう思っているという言い方ではなくて、日本の社会ではこうですよと提起していくんですよね。そのあたりに、人類学に対する不満がありまして、「こういう社会がありますよ」という、それだったら「ああ、そうですか」で終わってしまうのではないか。そうではなくて、それを自分の問題として引き受けるところに、哲学がでてくるのではないか。

もう一つ付け加えておきますと、エックハルトの話が出たんですが、エックハルトにはまさしく光と影の問題があって、ナチスの理論家であったアルフレート・ローゼンベルク*が『二〇世紀の神話』を出した時に、いままでのキリスト教の伝統に代わる、要するにユダヤ的伝統に代わるゲルマン的伝統というのはどこに始まるかというと、その出発点をエックハルトに置くわけです。それがあの時代のエックハルトブームになって、たとえば西谷啓治のエックハルト研究などに入っていくわけです。エックハルトの位置付けは、まさしく両義性という問題とかかわってくるので、ちょっとコメントしておきます。

**隆博**　エックハルトのゴットハイトの問題というのは非常に大きいと思います。「道」をどうやってつかまえていくのかという時に、井筒俊彦は非常に独特の読解をしていて、エックハルトを念頭に置きながら、神に先立つものという言い方をして「道」をつかまえようとしているんですよね。それはゴットハイトと重なるのですが、でも末木さんがおっしゃったように、エックハルトには光と影の両方がありますので、それを見据えたうえで、もう一回エックハルトをとらえ直してもいいと思います。

岳志さんがおっしゃったレヴィ＝ストロースのことが面白くて、さきほど末木さんが人類学に対するある種の違和感を表明されましたけれども、レヴィ＝ストロースはブラジルに渡る前は社会主義の活動家だったんですね。『社会主義学生』とかいう本に寄稿したりしていて、非常に社会関与的なスタンスで活動していました。そのあと人類学者として活躍するんですけれども、確か一九五〇年にインドに行くんです。チッタゴンというところに行って仏教祭祀に接して、めちゃめちゃ感動するんですね。面白いことを言っていて、「人間を第一次的な鎖から解き放そうとするマルクス主義の批判と、解放を完成させる仏教の批判との間には対立も矛盾もない」、「仏教というのはキリスト教とかイスラームとは違って来世を想定してこの世界を意味付けようとする後退した宗教ではない」というようなことを言うんですね。だから、仏教に対するレヴィ＝ストロースなりの非常に強い思い入れというのがあったのかな、と。

議論をうかがっていて、末木さんが世俗宗教ということを考えなければいけないとお書きになっていたことを思い出しました。近代において、儒教なんかも宗教化するわけです。でもその「宗教化」というのはどういう意味なんだろうと考えていくと、ある種の社会参画、社会変革と結びついているのではないかという気がするわけです。

ふつう我々は、世俗と宗教というと相反するものだと考えますよね。近代の原理というのは世俗化であって、宗教的なものを内面に退ける、あるいは周辺に退ける。こういう理解をしているんですけれども、いまの時代は、ポスト世俗化とも言われていますから、改めて宗教的なものを考え直す時代にきていると思うんですが、日本の場合は、最初から世俗と宗教の関係というのは非常に緊密に結びついていたとも思えるわけです。そのことの意味は、もっと考えてみても良いのではないか。

たとえば、宮沢賢治のお父さんの政次郎が近角常観に非常に親炙するわけです。入れ込んでしまう。ところが自分の子どもたちは、賢治もそうだし、妹のトシも、近角のところへやるんだけれども相容れないわけです。ではどこに行くのかというと、賢治の場合は国柱会という世俗宗教運動に行って、もっと激しい仕方で国家主義的な社会変革に行こうとする。でも、いられなくなって戻るわけですけれども、近代の日本を見ていると、宗教化するということと、世俗に深く入っていく、社会変革を志していく、この関係はいったいどうなっているのかと思っておりました。

## 言語の余白について

**末木**　宗教と世俗については、これはこれで大きな問題になりますので、のちほどまた議論したいと思います。若松さんから、いまの議論の流れで、何か付け加えておっしゃるようなことがありますでしょうか。

**若松**　この数年、西田幾多郎を読み返しています。『善の研究』の中で西田がとても強く言及している神秘家たちというとまずはエックハルトで、ニコラス・クザーヌス*、もう一人は先ほどもふれましたヤコブ・ベーメです。『善の研究』に至るまでの間に、西田はキリスト教神秘家たちと、どのように対話していたのかは、もう一回考えてよい問題です。エックハルトもクザーヌスもベーメも何を言ったのかというと、言語の不完全性なんですね。言葉は神をとらえることはできないというところから、この三人は始めていく。西田は、それはその通りなんだということを何度も語っていきます。西田の『善の研究』は一九一一年に出ていますが、彼は哲学の言葉というのがまだ発見されていない時に、自分でつくっていくわけです。そのとても大きな余白を持った言葉を、現代ではとても狭くして読んでいると思うんです。

そのことは、ほかの神秘主義の本を読む時にも言えることで、神秘主義の言葉というのは、言語の記号的意味よりも余白のほうが大きい。近代アカデミズムが何を排斥したのかというと、言語の余白だと思います。言語の余白というものを、ないことにしてきた。そこをどうとらえ直していくのかが、これからの新しい読みをめぐる問題になっていきます。

近代の哲学者たちも、自分の仕事を完成していく道程で、意中の詩人を持っていたと思うんです。ハイデガーやガブリエル・マルセル、あるいはデリダにいたってもそうだった。言語の余白の力みたいなものを借りて、自分の思想をかたちづくっていくことは、近代においてもやはりあったのだと思います。私たちは、語彙だけを読み解くのではなくて、余白の意味をどうとらえ直していくのか、そこを考えなくてはいけないと思っています。

**末木**　ありがとうございます。言語でとらえられないものというのは非常に重要な問題で、まさに哲学の根本にかかわります。隆博さん、何か付け加えることがありますか。

**隆博**　若松さんのおっしゃったことはその通りだと思っています。さきほど私は六朝時代の「神滅不滅論争」をご紹介しましたが、同時期に「言尽意不尽意論」というのがありました。言葉というのは思いを表現し尽くせるのか、そうじゃないのかという大論争ですね。ここでたとえば「無」という概念が鍛え直されていきます。「無」を概念化していくわけですね。西田は「無」について言及しますが、そのあたりをわかっているわけです。六朝時代になされた議論をそのまま西田が承知していたかどうかは不明なんですけれども、しかし「無」の概念の背景に、言語がある意味で息切れすると言ったほうがいいでしょうか、そういった面があるんだということはわかっていたと思います。単純に「言語の外」と言うと、それはすぐ回収されてしまうという気がするんですね。どういうふうに「言語の外」や「言語の余白」を語るのか、あるいは語らないのか。やっぱりひと工夫が必要なのだと思います。

その時に、つくづく思うんですけれども、ある種の実践というのがないとだめなのではないでしょうか。知性的に理知的に「言語の外」なんていくら言ったところで、しょうがないんじゃないかという気がするんですよね。それを痛感するのは、空海を考え直す時です。たとえば彼が『声字実相義《しょうじじっそうぎ》』の中で「即」ということを使いますよね。我々はそれを単純にAはBだと等号で結ぶように思うんですけれども、そうではなくて、あれはある種の飛躍であって、しかも実践的な飛躍だという気がするんです。それをきちんと読まないと、ただ文字面だけ追いかけていって、それが整合的なのか、そうではないのかを言ったところで、あまり意味がない。大拙も「即非の論理」で「即」の問題をもう一回やり直すわけじゃないですか。あれなんかも実践的なところでつかまないと、たんに論理学の記号的な処理をしたところで、しょうがないと思うんですね。だから、何かそういう、言語がちゃんと力尽きていく、そういう実践を私たちは少なくともやったうえで読むということをしないといけないのではないか。それは、西田を読む場合でもそうでしょうし、あるいは六朝期の「言尽意不尽意論」を読む場合でもそうでしょうけれども、至るところでたぶん問われると思うんです。禅なんかもそうですよね。ある種の実践の次元というのをきちんと考慮しておかないと、読んだことにならないというか、誤解をしてしまうのではないか、そんな気がしております。

**末木**　大事な問題提起ですので、もうすこし議論してみたいと思います。

実は父親がウィトゲンシュタインを専門にしていたもので、私自身、若い頃にウィトゲンシュタインを読んでいたのですが、ウィトゲンシュタインの場合、初期の『論理哲学論考』ですと、かなりはっきりした二元論をつくってしまうわけですね。ザーゲン(言う)ということと、ツァイゲン(示す)ということで区別して、言語で言えることだけを問題にする。その外は、示すことはできるけれども言うことはできないんだというかたちで、そこにはっきりした二元論をつくってしまう。私自身もずっと長くそれにとらわれていて、なかなかその二元論から抜け出せなかったんですが、死者の問題を考えていった時、死者の言葉みたいなものは、その二元論ではとらえられない。まさしく言語でありつつ言語じゃないような中間的なものであって、曖昧であり、「だから、そんな声はないよ」と言ってしまえばそれまでのもので、全部消されてしまう。にもかかわらず何かある。その中間的なものをどう生かしていけるのか。つまり、言語化できないはずなのに、何かそれが言語になっているものをどうとらえるのかというのが、ものすごく重要な問題ではないか。それがわかってきた時に、ある世界の構造みたいなものをとらえ返していくことができるようになったということがあります。

**隆博**　いまのお話をうかがってちょっと思い出しました。六朝期の「言尽意不尽意論」では、何が実践する中で大事な概念になってきたかというと、イメージなんですね。中国語では「象（しょう）」と言います。フィギュールとかフィグーラと言われるものです。そのイメージは、言語のようで言語じゃないですし、かといってまったく言語の外かというとそうでもない。さきほどのザーゲンとツァイゲンという区別を、ある意味では、はみ出すようなところがあるかと思うんです。

井筒もイマージュについて、フランスの中国学者アンリ・マスペロ*なんかをイメージしながら論じているわけですけれども、やっぱりこれもいま申し上げたような「象」とかフィギュールの問題につながってくると思うんです。もちろん若松さんがお考えになっているような、たとえばキリスト教の議論の中でも、アウエルバッハなんかがフィギュラ論をやっていくわけですけれども、何かそのあたりにちょっと手がかりがあるのかなと思って、差し挟ませていただきました。

**安藤**　ベルクソンですと、記憶そのものですよね。記憶というのは過去からまさに訪れてくる意味であり、声である。それこそ死んでしまった者たちの声であると同時に、もしかしたらこれから生まれてくる者たちの声であるのかもしれない。折口が「古代」について語っていることも同様です。記憶は過ぎ去らず、つねに現れ出でてくる。そうした点が、おそらくは今後、大きな問題として浮上してくるのではないでしょうか。言葉が発生してくるような根源、過去からの記憶であり、それは同時に未来につながっていく現在の認識そのものでもある。いま我々が議論している「死者と霊性」というテーマにとって、そのあたりに共通の地平があるのではないでしょうか。物質は記憶であり、記憶は物質であるという……。

**岳志**　いまのお話から、井筒俊彦の空海論を想起したんですね。「意味分節理論と空海」という『意味の深みへ』に入っているものですけれども、その中で井筒は、空海の果分可説を議論していて、要はコトバの次元というのが存在する、と。言語化された言葉の次元を越えた、コトバの働きというものを空海はとらえようとしていく。大日自らがコトバを語り始める。そのコトバをいかにすれば言語によってとらえることができるのか。記述することができるのか。空海の著作は、その構造的取り組みでした。

僕は最近、満濃池のことを調べているのですが、そこには「野生の理学」としか言いようがないものが働いていると思えるんです。満濃池の、特にアーチ状のダムみたいなものをなぜ空海がつくれたのかという議論があって、唐に行った時に学んだことの中に土木技術が含まれていたのではないか、ただし詳細はわからないというのが基本的な説のようですが、二〇代の時に山林で生活をしていた際に、ある種の自然の要みたいなものを読む力が、彼には身についたのだと思います。ですから、弘法清水の伝説とか弘法井戸の伝説というのも、もちろんそれは弘法大師＝空海一人ではなくて、そういう人たちがたくさんいたのだと思いますが、彼自身が、山を見て、山の中の水の流れをとらえるような力を体得していた。まさに「野生の思考」を身につけていた。ただし、それを現代科学のような言葉では語らなかった。空海における「野生の理学」みたいなものがあり、それがさまざまな満濃池の、余水吐きとか、現代から見ても素晴らしいと言われる技術というものにつながっていった。しかも、その技術を使う時に彼は何をやったかというと、やはり護摩を焚くわけです。これも彼にとっては同じ科学の地平にあったもので、そういった実践から科学・理学を考え直したい。日本の土木の原点に大乗仏教というものがあったことの意味といいますか、それは政治学者としてしっかりととらえ直しておきたいなと、いま思っているところです。

**若松**　いまの岳志さんのお話について言えば、二宮尊徳もそういう人なんですね。「天地《あめつち》の経文」と言うんです。つまり、天地に不可視なコトバを読む。「天地の経文に誠の道は明らかなり、掛る尊き天地の経文を外にして、書籍の上に道を求《もとむ》る、学者輩の論説は取らざるなり」（『二宮翁夜話』）ということを言うんです。二宮尊徳は、治山の人です。治山する力によって六〇〇の村を甦らせたのですが、この人は四書の『大学』に深く学んで、『論語』そして『中庸』まではいいけれども『孟子』は注意が必要だ、と言った。片方で学問を積みながら、実はとても大事なのは非言語的な「天地の経文」だと語る。こういう人を、内村鑑三は『代表的日本人』の一人に選んだ。

あともう一点は、死者が過去の存在かどうかということです。私の実感は、死者は、いまの存在です。死者の声はいまの声です。過去に発せられた声がいま響くというよりも、死者との対話とは、いまの死者といまの自分との対話だというのが、私の強い実感なんです。

私の妻はもう亡くなって一〇年になるわけですが、一〇年前の声がいまやっとわかるということは、もちろんある。それはありますが、いまここで、ありありと死者のコトバを経験するという地平もあると思います。もっと多元的な時間軸の中で死者を考えていくべきだというのは、私には実感としてとても強くありますね。

**末木**　私もちょっとだけ補足しておきますと、空海のことが問題になっていますが、実は日本の真言宗の中で一二世紀から一三世紀ぐらいには、言葉が意を尽くすかどうかということが、正面から議論されているんですね。空海はわりと単純にそれは全部わかる、法身の声は全部聞こえるみたいなかたちで言うのですが、本当に法身の声が聞こえるのだろうか、わかるのだろうかという問題。これは大日経の解釈とかかわるわけです。覚鑁《かくばん》という人が一二世紀に現われますが、覚鑁から新しい理論がいろいろと生まれて、一三世紀ぐらいに真言宗の密教の理論が形成されていくのですが、その中で問題になっていくことの一つが、まさしく大日の言っていることは人間にはわからないのではないか、という問題です。だからもう一歩レベルを落としたところで大日は説法してくれていて、我々がわかるのはそのレベルまでである。つまり、この世界の中に絶対的な不可知があるのではないか、という議論になっていくわけです。キリスト教のほうで言えば、神は最終的に人間にとらえきれるのかどうかみたいな問題になる。日本の中でも、一二、三世紀ぐらいからかなり議論されている。そのあたりをもう一度とらえ直していく必要があるのではないかと思っています。

私はいま、アニー・ベサントの『The Ancient Wisdom』を読んでいるのですが、これはけっこうわかりやすい本で、古代の智恵というのか、あらゆる宗教の根本構造が存在するというのですね。この場合、さきほど若松さんが言われたように、果たして本当に一つになるのか、それぞれのところに別々にあるのか、これは大きい問題だと思います。神智学の場合は、あらゆる宗教の根本構造がとらえられるという立場に基本的には立って、それを認めるかどうかはともかくとして、いろいろな宗教のさらに深層、ゴットに対するゴットハイトのようなものをとらえ返そうとする。そういう流れをつくっていく。非常に警戒しなければならない面があると同時に、深層構造をとらえていくという点では、たとえば井筒俊彦にも流れていくような問題が提起されているのではないかと思いますが、若松さん、そんな理解でよろしいですか。

**若松**　エックハルトがいうゴットハイトというのは、人間にとって謎が深まっていく方向だと思うんです。神智学協会の方向は、謎が明らかになっていく方向だと思います。そこがベクトルとして決定的に違うという感じがします。エックハルトは人間をどんどん小さくしていく。

あらゆる宗教に原理主義という潮流があります。原理主義というのは謎がなくなる状態だと思うんですね。全部わかった、と。真の神はこういう神であって、ほかはそうではないというのが原理主義です。しかし、謎がなくなっていくことは宗教のあり方として、とても危険です。謎がわかり得たという時に、人間が人間ではないものになっていく。パスカルではないですけれども、天使を目指して禽獣に落つということになりかねない。
もう一点だけ、私がなんで死者の問題を「いま」のものとしてこだわるかというと、私がいなくなっても死者はいなくならないということが大切だと思うからです。私の記憶の中に死者があるのではなくて、死者は私とは別個に存在している。だから、私が思い出そうと思い出すまいと死者は存在するし、死者というのは私の記憶の作用ではないということです。私が思い出したから死者がいるのではなくて、死者は生者の記憶に依存することなしに存在しているのだと思います。

**末木**　どちらもおっしゃる通りだと思います。神智学は確かに危険性を持っていると思います。そして絶対的な不可知の領域、人間にはわからない世界があるという問題をとらえ直すことは、すごく大事だと思います。もう一つの、死者は私の記憶に依存しないというのも、これもまさしくおっしゃる通りであって、実は私が最初に死者論を考えていた当時は、歴史の記憶論がものすごく盛んだったんですね。ちょうど二〇〇〇年の頃です。あくまで記憶が主体になっていて、その中に歴史とか死者というものは吸収されてしまうような議論がされていました。それに対して、記憶に回収されないものとして死者を考えなければならないのではないかと思っておりましたので、まったく共感いたします。

## ＊ノート

第二バチカン公会議　一九六二年、教皇ヨハネ二三世が召集して開かれた第二一回公会議。六三年にヨハネ二三世が死去して後は、パウロ六世が継続した。キリスト教教育、キリスト教以外の諸宗教、信教の自由に関する三宣言を発表、カトリック教会が全人類に開かれた機関であることを示した。

エマヌエル・スウェーデンボルグ(Emanuel Swedenborg)　一六八八―一七七二。スウェーデンの自然科学者、神秘家、思想家。ウプサラ大学で哲学、神学、数学、自然学を学び、鉱山局官吏となり、スウェーデン鉱業の発展に尽力した。キリストについての神秘的経験を得てのちは、神学研究に没頭。精神界との交通の可能性を説き、視霊者、宗教的思想家として活動した。『天界と地獄』『啓示による黙示録解説』『天界の秘儀』などの著作を世に送る。ゲーテ、カント、ブレイク、ショーペンハウアー、イェイツなどに思想的影響をもたらした。

ヘレナ・ペトロヴナ・ブラヴァツキー(Helena Petrovna Blavatsky)　一八三一―九一。近代神智学の創唱者。神智学協会の設立者の一人。一八四八年に結婚するも数ヶ月で出奔、その後は世界各地を放浪。アメリカに渡り、七四年にヘンリー・S・オルコットと出会う。七五年、オルコットとともにニューヨークで神智学協会を設立する。著書に『ヴェールを剝がされたイシス』(一八七七)、『シークレット・ドクトリン』(一八八八)など。

ヘンリー・S・オルコット(Henry Steel Olcott)　一八三二―一九〇七。神智学協会の設立者の一人で、初代会長。スリランカの近代仏教改革に深い影響を与えた。一八七八年、神智学協会の本部をニューヨークからインドに移設。八〇年よりセイロン(現スリランカ)のコロンボに滞在、複数の仏教学校を設立した。この時期に『仏教教義要綱』(一八八一、邦訳『仏教問答』)が執筆されている。

アニー・ベサント(Annie Wood Besant)　一八四七―一九三三。イギリスの神智学徒。神智学協会第二代会長。一八八九年、神智学に加わる。九三年に初めてインドを訪問、以後、インドの自治権獲得闘争に参加。一九〇七年、第二代会長に就任。一六年、バナーラス・ヒンドゥー大学を設立。

エルンスト・ヘッケル(Ernst Häckel)　一八三四―一九一九。ドイツの生物学者、哲学者。無脊椎動物に関する研究から「生物発生の根本法則」を打ち立てた。ダーウィンの進化論を受容し、その普及に力を尽くした。生態学を学問として確立することにも貢献。彼の思想は当時の生物学界、思想界に多大の影響を与えた。主著に『一般形態学』(一八六六)、『自然創造史』(一八六八)など。

シカゴ万国宗教会議　一八九三年五月に「科学技術の発展と工業への応用」をテーマとして、シカゴ万国博覧会が開幕。この万博に際して開催されたのが、シカゴ万国宗教会議(the World's Parliament of Religions)であり、世界中から各宗教・各宗派の代表が数多く参加した。

ラーム・モーハン・ローイ(Ram Mohan Roy)　一七七二―一八三三。近代インドの宗教・社会改革運動の指導者。ベンガル地方のバラモンの家に生まれたが、キリスト教の影響を受け、カースト制度やサティーなどの悪習に反対した。一八二八年にインド・ユニテリアン教会を設立。この会がブラフモ・サマージに発展した。

ラーマクリシュナ(Sri Ramakrishna Paramahamsa)　一八三六―八六。近代インドの宗教家。ベンガル地方の貧しいバラモンの家に生まれ、幼少時から神秘体験を重ねる。カーリーを祀る寺院の僧となった後、イスラームやキリスト教にも接近し、あらゆる宗教において神に至る道が同一であることを確信。その教えのもとに多くの民衆が集まり、一八七五年頃にはベンガル地方における大きな宗教勢力となった。

ヴィヴェーカーナンダ(Swami Vivekananda)　一八六三―一九〇二。近代インドの宗教思想家。コルカタのクシャトリヤの名門の生まれ。コルカタの大学で近代的・西洋的教育を受けたが、一八八二年にラーマクリシュナと出会い、師事。師の死後は、その教えの布教に努めた。シカゴ万国宗教会議には、南インドのヒンドゥー教の代表者として出席。九七年、インドにラーマクリシュナ・ミッションを創設。

オーロビンド・ゴーシュ(Sri Aurobindo Ghose)　一八七二―一九五〇。インドの思想家。幼少期には英国で教育を受け、大学卒業後に帰国。ベンガルで反英独立運動を展開、一九〇八年逮捕され、翌年出獄。以後は、ヨーガの行者となり、宗教団体を設立。西洋文明とその思想を鋭く批判した。

ポール・リシャール(Paul Richard)　一八七四―一九六七。南フランスに生まれる。神学博士、弁護士でもあったが、詩人・思想家として活躍。一九一六年、来日して、四年間滞在する。滞在中に『告日本国』を執筆。

ヤコブ・ベーメ(Jakob Böhme)　一五七五―一六二四。ドイツの神秘思想家、哲学者。ドイツ東部の近郊に生まれ、靴工となる。幻想的な体験ののち、瞑想と独学によって思想を展開した。その思索は「神と自然」の問題に集中している。その著作はロマン主義、ドイツ観念論の人々によって高く評価された。ヘーゲルはベーメを「最初のドイツの哲学者」と賞賛している。

スフラワルディー(al-Suhrawardī)　一一五五―九一。中世イスラームの神秘主義哲学者。ゾロアスター教の教義やプラトン的イデア論をもとに、存在を光とみなして、独自の哲学を展開した。エジプト、ギリシア、イランの諸賢人に伝わった叡知を再統合した教説は、照明哲学と呼ばれる。

クリシュナムルティ(Jiddu Krishnamurti)　一八九五―一九八六。インドの宗教哲学者、思想家。最上層バラモンの出身。熱心な神智学協会の信徒だった父の影響のもとで育ち、一六歳のとき、アニー・ベサントから「東方の星教団」の首座に任命される。のちに神智学協会を離れ、「東方の星教団」も解散。その後は、アメリカを本拠地として、独立した霊的指導者として世界各地で活動を続けた。

ルネ・ゲノン(René Guénon)　一八八六―一九五一。フランスの思想家。インド、中国、イスラーム等の聖典研究を通じて、「諸伝統の究極的な一致」を説いた。東西文明に共通する普遍的構造の解明に取り組む。

エックハルト(Johannes Eckhart)　一二六〇頃－一三二八頃。中世ドイツの神秘主義思想家。ドミニコ会士。ザクセン地区管区長、ボヘミア地方副司教など、会の要職にあって、説教者としても活動した。その思想は中世から近世へかけての多くの神秘主義思想の源流となった。

ティク・ナット・ハン(Thich Nhat Hanh)　一九二六－。ベトナム出身の禅僧・平和活動家。ベトナム戦争中に仏教の指導者となり、被災者・難民の救済に尽くす。一九六六年フランスに亡命。二〇一八年帰国。現代を代表する平和活動を行う仏教者。

欧陽竟無(欧陽漸)　一八七二－一九四三。中国の思想家・仏教研究者。清末の在家仏教の中心人物であった楊文会に師事し、一九二二年に支那内学院を創設。唯識哲学を復興した。

熊十力　一八八五－一九六八。中国の思想家・哲学者。共産党政権下の中国大陸における新儒家の代表的哲学者として活躍。文化大革命の迫害を受けたのち、上海で死去した。

牟宗三　一九〇九－九五。中国の思想家・哲学者。熊十力に師事して、新儒家の代表的哲学者として活躍。一九四九年台湾に逃れ、五五年以降は、香港を拠点に研究・執筆活動を行う。

康有為　一八五八－一九二七。清末・民国の思想家。初め漢学と宋学を学んだが、陽明学や仏教に傾倒して、独自の哲学を追究。救国救民の言論活動を行い、戊戌変法(制度改革)運動の理論的指導者となる。

服部宇之吉　一八六七－一九三九。中国学者。東京帝国大学哲学科卒業。東京帝国大学教授、京城帝国大学総長、國學院大学学長などを歴任。西洋哲学の立場から、礼学を中心に中国思想の解明に努めた。

土宜法龍　一八五四－一九二三。真言宗僧侶。高野山にのぼり、真言・天台両宗の教義を学び、仏教教学を研究。シカゴ万国宗教会議に参加したのち、ロンドンで南方熊楠と親交をむすぶ。南方の宗教観、曼陀羅論・宇宙論に影響を与えている。仁和寺門跡、御室派管長、高野派管長などを歴任。

蘆津実全　一八五〇―一九二一。僧侶。明王院で出家して、初め天台学を学ぶ。東京で禅僧の荻野独園に師事し、臨済学を学んだ。シカゴ万国宗教会議に出席。一八九八年臨済宗にうつり、一九〇三年臨済宗永源寺派管長となる。

八淵蟠龍　一八四八―一九二六。熊本県の東福寺の住職の子として生まれる。東福寺住職を継承し、法住教社という仏教結社を組織し、熊本を拠点に幅広く活動。シカゴの万国宗教会議には浄土真宗本願寺派の代表として出席。帰国後、論文「仏教護国策」を発表。

アナガーリカ・ダルマパーラ（Anagārika Dharmapāla）　一八六四―一九三三。スリランカの宗教家。現代スリランカ仏教復興の祖と言われる。シンハラ仏教ナショナリズムを提唱し、独立運動を主導した。神智学協会のヘンリー・S・オルコット、ヘレナ・P・ブラヴァツキーとともにシンハラ仏教の近代化に取り組んだ。

エドワード・ドリンカー・コープ（Edward Drinker Cope）　一八四〇―九七。アメリカの古生物学者。魚類、爬虫類、哺乳類などの化石研究に多くの業績を残す。一八八九年からペンシルベニア大学教授。九五年、アメリカ科学振興会会長に選出。

フレデリック・ウィリアム・ヘンリー・マイヤーズ（Frederick William Henry Myers）　一八四三―一九〇一。イギリスの古典学者・心理学者。一八七〇年代以降、心霊研究を行う。八二年、ヘンリー・シジウィックらと心霊現象研究協会（SPR）を設立した。「テレパシー」「超常」などの用語を創案した。

毛利清雅（柴庵）　一八七一―一九三八。高山寺住職、『牟婁新報』社主。『牟婁新報』を創刊し、政界にも進出。田辺町会議員、和歌山県会議員を務める。南方熊楠の盟友。

ポール・ケーラス（Paul Carus）　一八五二―一九一九。ドイツ生まれのアメリカの哲学者。一八九四年に、『The Gospel OF Buddha』を刊行。ブッダの伝記を中心に原始仏教の教義を説いた同書は、アジアの諸国語に翻訳された。九五年には、鈴木大拙によって翻訳（非売品）。一九〇一年、森江書店より訂正版が刊行された。

アルフレート・ローゼンベルク（Alfred Ernst Rosenberg）　一八九三―一九四六。ドイツの政治家、思想家。国家社会主義ドイツ労働者党対外政策全国指導者。ニュルンベルク裁判で死刑判決を受け処刑された。一九三〇年に刊行された『二〇世紀の神話』は、ナチズムの聖典とも称された。

ニコラウス・クザーヌス（Nicolaus Cusanus）　一四〇一―一六四。ドイツの神秘主義哲学者、教会政治家。法学、数学、哲学などを学び、のち神学に専念。司祭となり、一四四八年枢機卿、五〇年ブリクセンの大司教となり、教会改革に尽力した。ジョルダーノ・ブルーノ、ライプニッツにも影響を与えた。主著に『知ある無知』（一四四〇）がある。

アンリ・マスペロ（Henri Maspero）　一八八三―一九四五。フランスの東洋学者。一九一八年に、コレージュ・ド・フランスの中国学教授に就任。二八年には来日して日仏会館学監を務め、三年間滞在した。ソルボンヌ大学中国学教授、高等研究実習院中国宗教学部長を歴任。古代中国史、仏教史、道教研究など、多方面での業績を残した。

# 第Ⅲ部

## 死者たちの民主主義

**末木**　これまでのところで、死者の問題、霊性の問題は、抽象的なことではないとお互いに了解できていると思いますので、それを今日の現実における実践的な問題としてどうとらえるべきか、政治の問題などに話を進めていけたらと思います。

岳志さんが柳田国男の問題を出されていますので、そのあたりを糸口にして議論を進めたらどうかと思います。お願いいたします。

**岳志**　柳田国男は『先祖の話』の中で、国家の歴史に対して「常識の歴史」という言い方をしているんですね。それは何かというと、記録や証拠というものに残っていないけれども確固たるものとして私たちの中にある歴史である、と。これがどうしても「近代」というものによってどんどんと失われていってしまう。だから、民俗学者はこれを記録しないといけない。彼は、誤った即断に陥らないようにするために民俗学者というのは存在している、と言っています。みんながスピードに流されて即断をしていく。それに対して「常識の歴史」からブレーキをかけるのが自分たちの役割なんだということです。

『先祖の話』で非常に感銘を受けるのは、「御先祖になる」という話なんですね。柳田は晩年、成城学園に住んでいまして、あるとき電車で郊外のほうに行く。調査なのか、健康のためなのか、歩き回っていたところ、自分と同じぐらいの年配の男性に出会った。バスか何かを待っている時に話し込むと、その彼が、自分はもうやるべきことはやった、あとは御先祖になるだけだ、という話をした。それに対して、「いまどきちょっと類のない古風な、しかも穏健な心がけである」と言う。それはなぜかというと、彼には死んだあとまで目標があると言うんですね。つまり、亡くなっても自分の生はそこで終わりではない。そのあともまだ自分は死者として生き続けるので、まだ見ぬ自分の家の子孫たちと対話をし続ける存在である。対話をし続けるためには資格が要る。「ほら、御先祖さんのおじいちゃんは立派だったよ」と言われないといけない。ちゃんと頑張って御先祖になろうとしている、それを柳田は、「古風な、しかも穏健な心がけだ」と言っている。

彼は、人間があの世に入ってから後に、いかに長らえまた働くかということについて、かなり確たる常識というものが日本においては養われていた、という言い方をしています。しかし、こういうものがどんどんと失われてしまい、そして「いま」だけの世界になってしまっている。柳田が力を入れて説きたかったことは、「日本人の死後の観念、すなわち霊は永久にこの国土のうちに留まって、そう遠方へは行ってしまわないという信仰」でした。さらに、彼は「現世」に対して「歴世」というものの知見があるという言い方をしています。それは、末木さんがおっしゃられた「冥」と「顕」の二つの世界にも通じます。そこを行ったり来たりすることが、非常に頻繁に行われている。それは祭りのときだけではなくて、日常の中でもその二つの世界の交通があるんだ、と。さらに、生きている人間というのは死んでもまた自分の家に生まれ変わってくることを非常に強く信じている、そういう「常識の歴史」というものが重要だ、と。

この本は一九四五年の初夏に書かれて、出たのは敗戦直後です。「はじめに」だけ敗戦直後に書かれています。彼はこの時、民俗学者から一歩踏み出していると思うんですね。こうなんですよという状態を述べるのではなく、あるべき世界の提示、こうでなければいけないのだ、と。戦争が終わって極端に世の中が変わってくることに対して、やはり先祖というもの、大きな構造と自分たちのつながりをもう一回確認しておかないといけない。なので、戦死者をこのまま放置してはならない。戦死者を一代限りにしてはならず、それを先祖にするためには、場合によっては戦死者と養子縁組をして、家というもののつながりを保たなければ戦後の日本はもちませんという、非常に強い彼なりの意図をもって書かれた本です。柳田が戦後に投げかけた問題を、僕たちはいま死者の問題としてどう受け取るべきなのか、そこが重要だと思っています。

**末木**　岳志さんは、死者の立憲主義というのを以前から言っておられるんですけれども、そのあたりも一緒にお話しいただけますでしょうか。

**岳志**　柳田には最晩年の「日本民俗学の頽廃を悲しむ」という講演があります。その中で「憲法の芽を生やせられないか」と言っているんですね。それと同時に、「単刀直入にいうが、今日流行の民俗学は奇談・珍談に走り過ぎる。平和の中にあるのがいい。思い出せば、ああそんなことだったのか、それでいい」という言い方をしているんですけれども、僕なりに解釈すると、憲法の主体が死者であるということを、彼はやはり強く考えていたと思うわけです。

どういうことかというと、「民主」対「立憲」という問題が、政治学的に、あるいは憲法学的にはあって、「民主」というのは生きている人間に投票権が与えられ、その過半数によってさまざまなものが決定するシステムである。しかし「立憲」という考え方は、いくら多数派が多数決によってそれを是としても、それでもなお、やってはならないことがあるのが憲法である。たとえば、表現の自由というものは侵してはならないと憲法で定められている。いま生きている人間が、いやそういうものは制限していいのだと決議しても、憲法上それはだめだとなるのが「立憲」という考え方。「民主」と「立憲」には、どうしてもぶつかってしまうポイントがある。何がぶつかっているのかというと、僕は主語がぶつかっていると思うのですね。「立憲」の主語が死者であり、「民主」の主語は生きている人間、生者になる。これがぶつかることが問題であり、実はこの数年間、私たちが見ている政治の中で起きている現象だと思うわけです。

安倍内閣で何が起きたのかというと、立憲主義というものに対する軽視だったわけです。二〇一五年に安保法制がありましたけれども、その時も基本的には憲法を超えて勝手に解釈してしまうことがあったり、自分たちは民意を得て選ばれているんだ、だから自分たちの決定こそが民意というものであるという話になっているわけですね。民主主義というものが生者の過半数によって決定されるものであるという発想が強くある。

私たちが戦後民主主義の中で忘れてきたものは、「立憲」だと思うのですね。戦後も「民主」対「立憲」というのは、「民主」の優位ということを考えてきた。だから統治行為論のようなものが出てきます。統治行為論の本質は何かというと、最高裁が憲法判断をしない。日米安保の問題とか、あるいは自衛隊の存在については憲法判断をしない。なぜかというと、行政権というものを担っている内閣は、議院内閣制ですから、最終的には私たちが投票によって選んだものである。それに対して最高裁はそういう存在ではないので、行政権というものが最高裁、司法というものを最終的には上回っている。これは「民主」というものが「立憲」を上回るという発想から出ています。

この問題をもう一回、僕たちは問い直さないといけない。単に生きている人間だけで民主主義をやっているのかというと、そうではないし、柳田はそうでないことを強く確信をしていた人です。かなり若い時から、『時代ト農政』の中でも彼は、民主主義は生きている人間だけじゃなくて、亡くなった人たちと一緒にやっているんだということを繰り返し強調しているわけです。僕たちが思い起こさないといけないのは、この立憲民主主義。あるいは別の言い方をすると、立憲主義は死者たちの民主主義でもある。死者たちとともに何かを選んでいく。そして死者たちと対話しながら決定をしていく、そういう方法ではないのか。それが欠けているがゆえに、「民主」が暴走してしまうというのが、私たちがこの数年の間に見てきた日本の政治なのだと思っています。

**末木**　非常に明快に、柳田の問題から「民主」と「立憲」の問題まで、死者がかかわってくるというお話をいただきました。納得いくところが多いんですが、これはいまの政治のあり方に直結しますし、歴史の語り方、いわゆるサバルタン論とも関係してきます。まさしく語り得るもの、語り得ないものの問題ですが、いったいどういうかたちで語れないものを言葉にしていくのか。歴史の語り方の問題は、当然、靖国の問題、戦争の問題にもかかわってきます。

さらに議論を深められたらと思いますが、いかがでしょうか。

**安藤**　折口信夫と靖国の関係について少しだけ述べさせてください。折口古代学を定義するならば、それは反国家神道の学として、定義できると思うのです。折口は近代的な神社、道徳としての神道から排除されてしまった生々しい神憑りのなかに列島の固有信仰のあり方、神道の本質を見出しています。ごく普通に考えれば、折口は近代が創り上げた天皇と靖国のあり方の双方に反対すると思うのです（実際、戦後に書かれた論考にはそのような面が多くあります）。しかし、それは違いました。折口は世界大戦が激しさを増す中で初めて靖国の招魂祭に参加します。そこで非常な感動を覚えるのです。おそらくは田舎から出てきた、名も知らない一人の老婆が、戦死した孫の魂を祀りあげることで救いあげ、神として浄化してくれる招魂祭の儀式に参加し、大粒の涙を流し、全身で感動をあらわにしている。その姿を眼にして大きく心をゆすぶられる。折口にとって大変矛盾した体験だったと思うのです。大戦中、道徳としての神道、国家神道としての統制の中で唯一死者を弔うことのできる宗教施設としてあったのが靖国でした。その他の神社はすべて死者を弔えないんですよ。道徳としての神道は宗教ではないわけですから。ただ靖国だけが死者を弔うことができた。招魂祭に参加した人たちは、まさに身近な死者たちを弔うために参加している。こうした靖国のあり方と、近代における天皇のあり方はパラレルだったのではないかと思います。近代的な天皇は宗教的であることを禁じられている。しかし、死者たちを弔う国家の儀式の祭主として唯一ふさわしいのは、死者を弔うことを禁じられている天皇でしかあり得ない。そこに生じる矛盾です。天皇と靖国、その存在と制度の矛盾。なぜその双方を容易に解体することができないのか。ここに私は、近代日本が持たざるを得なかった不可能性そのものの顕現を見る思いがします。この矛盾を解きほぐしていきながら死者たちの民主主義を打ち立てていく。そのときにこそ本当の意味で、天皇と靖国の呪縛から我々が解放されるのではないかと思います。残念ながらこの場ですぐ結論は出せませんが、一つの問題提起として述べさせていただきました。その点にこそ未来の政治学のヒントがあるように思えてなりません。

**岳志**　平成の時代の天皇、いまの上皇ですけれども、あのご夫婦は、靖国を介さないでも死者との対話は可能であると考えた人たちだと思います。各地に行き、そして祈るという、その姿ですね。宮沢賢治の「雨ニモマケズ」のようなところがあって、平成の時代の天皇というのは、とにかく災害があったら自分が行く。佇んだり祈ったりする。そういうかたちで、霊性とかかわろうとした。歴史を引き継ぎながら、重要な本質を引き継ぎながら、いまの時代にどうアクセスするのかという、大変な努力をされたんだろうな、と思います。

**末木**　天皇をどうとらえるかについては、それだけで長い時間をとらないと議論しきれないと思いますが、これも実は「近代」の問題で、我々はともすれば、明治憲法の規定で天皇というものを考えてしまう。アマテラスの子孫であり、唯一神としての性格を維持した存在として、近代の天皇は規定されたわけです。しかし、戦後の憲法になった時に、その規定はいったいどういう意味を持つのか。新しい憲法の中での天皇とはいったい何なのか。憲法上は国民の総意というわけですけれども、国民の総意で天皇が決められるのであれば、総意が移ればどこへでも行ってしまうはずで、ややこしい問題になると思います。

ほかの方からも意見をうかがいたいと思いますが、いかがでしょうか。

**若松**　岳志さんのご指摘はとても重要で、出向いていくということに変わったわけですね。それまでは靖国を介していたわけですけれども、こちらのほうから出向いて行く。平成の時代が終わった時に、お二人がいわゆる慰霊をしたところを調べたことがあるんですけれども、通常ここは行かないだろうと思うところにも出向いていかれる。そうすることで、自分たちの方から死者に敬意を表している。死者というのは私たちが畏敬をもって接するべき存在であることを表現されたと思うのです。

けれども、もう片方で、いわゆるリアルな政治、リアルな生者の政治では、死者というのは忘却されつつある。これはなかなか難しいんですけれども、「政教分離」という考え方とまた別なところで私たちは、枠組みとしての生者と死者との関係から、世界そのものを再構築することが求められていると思うんです。宗教というよりは哲学の、あるいは思想の仕事なのだと思います。死者と生者の関係は、宗教以前だともいえる。

吉野秀雄という歌人がいます。彼には死者への歌がいっぱいあるんですが、自分にとって歌とは世界を再構築する営みだ、と書いています。歌うことによって一見不可能に見えることを可能にしていくのが歌の秘義なのだ、というのです。自分の歌がというよりも、それが歌の秘義であることを、とても激しい言葉で書いている。

たしかに、昔は歌でよかった。万葉の時代であれば、それでよかった。でも、いまは歌というわけにはいかないので、思想、あるいは哲学、あるいはそれに類する文学なども含めたものが、世界を再構築していく責任があると思うのです。それなのに世界を解説していくことばかりに変わって行ってしまった。そこをやり直したいという感じは、私には強くあります。

**末木**　ありがとうございます。まさにおっしゃる通り、我々の考え方を根本から変えなければならない、解説ではなくて新しい世界の見方をつくらなければならないということで、まったく私もそう思います。もともと和歌は政治と密接にかかわっていたわけですね。ある意味ではトータルなものとしてあったものが、これは芸術の世界のものだとして、切り分けられていく。あるいは科学は科学なのだとされていく。そういうふうに切り分けられてしまったものを、もう一度統合しながら、どういう世界の見方が可能なのか、確かにこれからの重要な課題になっていくと思います。

隆博さん、そのあたりどうでしょうか。

**隆博**　なかなか難しい問題ですけれども、私としては、古代中国の議論をすこし導入したいと思います。マイケル・ピュエットというハーバード大学の教授がいます。彼は古代中国をフィールドにする人類学者という非常に面白いあり方をしているんですけれども、『礼記』の中にある面白いエピソードを紹介しています。ある国の王が亡くなるんですね。そのあとに当然、その国は不安定化する可能性がありますよね。どうやってその国を再び安定させるかというと、「礼」を実践するしかない。どうやって実践するかというと、その王の子どもと孫が登場するんですね。孫が亡くなった王の形代になって、ある種のパフォーマンスを行い、孫である亡くなった王に、息子である王が服従をする。こういう「礼」を行う。これによってかろうじて秩序というものが回復される。ここからピュエットはいろいろな帰結を導き出していくんですが、我々にとってもヒントになると思います。

「礼」というのも一つの規範の問題なんです。しかもこれは変更可能な規範であって、時代によって社会によって変わってもかまわない。では、何のために「礼」を行うのかというと、それはこの世界が非常に分断されて、対立の芽があちこちにある。それを全部きれいにするとまではいかないけれども、何とか暮らせるような社会にしていく。そういった要素が「礼」にはある、こういう議論をしていくわけです。岳志さんの議論では、死者というのが立憲主義の一つの根拠になっている。「礼」もやっぱり死者なんですね。でも、死者をどうやって正しい先祖にするかという、これが問われるんです。そのためにはパフォーマンスをしなければいけない。

さきほど安藤さんがおっしゃったように、戦前の日本では死者をある仕方で利用してしまう政治学が働いてしまった。我々がいま振り返ると、そうではない可能性も本当はあった気がします。戦後は、同じような仕方で死者を利用する政治学を作動させるわけには、もういかない。その代わりに死者を忘却する方向に行ったと思うのですが、やはりもう一度、死者にどう向かい合うのか、それをやり直さないといけない。

その時に岳志さんは、憲法を通じた議論が可能なのではないかと言われる。まったくその通りだと私も思います。その場合に、安藤さんがご指摘になったような方向に行かない仕掛け、それをどうやって手に入れていくのか。ご紹介したような古代中国の「礼」の議論が一つのヒントになると思います。そこには、孫が登場しますよね。つまり、これからの世代、あるいは今いない人たち、こういった人たちも入れるような仕方でかかわっていくこと、これが大事だという気がしているんですね。現在の生きている人たち、それから死んだ人たちに加えて、これから来るべき人たちを、この構想力の中に組み込んでいったらよいのではないか。やはりどこかで、過去、現在、未来という単純な時間性を、かき乱さないといけないと思うんです。私たちの時間というのはもっとふくらみのある時間であって、これはもう過ぎ去ったことだからとか、未来のことはまだ承知していないからではなくて、あるふくらみを持った時間性を構想することによって、憲法の議論とか「礼」の議論にも入っていけるのではないか。それがある程度できれば、若松さんがおっしゃるような、死者というのは単に過去に属しているわけではない、と考えることができるようになるのではないか。近代的な時間性をやり直しておかないと、どうしても死者は過去だというふうに流れてしまうと思うんです。過去と現在と未来をどういうかたちでつなぐのか。それを仕上げておかないといけない、そんな気がしております。

**安藤**　いま隆博さんから時間の問題を出していただけました。とても示唆的です。私の方からは時間を担う者たち、その内実について少しだけ補足させてください。柳田と折口、民俗学の二人の巨人の死者をめぐる思考の差異を考えていくと、柳田の場合、死者は「祖先」になるんですけれども、折口の場合は「まれびと」になるんですね。その点が互いに相容れないところだと思います。「まれびと」というのは、共同体にとって、まったくの他者のことですよね。「祖先」には決してなることができない。共同体の外から訪れ、また共同体の外へと去って行く、神にして人です。「祖先」にも「子孫」にもなれない、あるいは決してならない者たちです。いま議論している死者たちの中に「祖先」、もしくは「子孫」だけではなくて、「まれびと」も入れていかないと、現代的な「礼」としての弔い、先の大戦の弔いの実現はきわめて難しくなるように思います。前述させていただいた天皇と靖国の問題に接続させていただくと、戦前は自国の死者だけしか天皇も靖国も弔うことができなかったわけですよね。それが本当の意味での死者の弔いになるのでしょうか。そこに捻れが生じていると思います。戦争で生み落とされる死者の、少なくとも半数以上は、まったくの他者ですよね。そのような他者をも弔うためには、死者たちの中に「祖先」や「子孫」と同時に、その両者には決して還元されることのない「まれびと」を取り込んでいけるような「礼」、政治的な実践と言ったら大げさでしょうが、もう一つ別の仕組みが必要になってくるのではないかと感じました。折口最晩年の論考である「民族史観における他界観念」は、そうした祖先や子孫になることができない死者たち、悪霊となって荒野を彷徨《さまよ》うことしかできない死者たちをめぐる考察でした。動物や「もの」としてしか生きられない死者たちの魂の行方に想いをこらした鬼気迫る論考で、私にとっては今でも大きな問題提起であり続けています。

末木　私のほうからもすこし補足させていただくと、柳田の『先祖の話』は重要な著作と思っているんですが、柳田の祖先のとらえ方というのは、基本的に戦前の「家」というものを前提として考えている。その戦前の「家」は、近代になって確立した家父長体制の中でつくられたものです。もちろん、「家」についての考え方は、それ以前にもさかのぼるのですが、一般の庶民にまで完全に定着してくるのは、やはり近代の家父長制にもとづくと思います。それを前提としているところが柳田の限界ではないか。

いま安藤さんが、それと対照して「まれびと」を出してきたのは、すごく大事だと思います。つまり他者というもの、自分と直接な血縁関係にはない他者、しかもある時間をシャッフルした中で出会う他者については、「まれびと」という考え方で補っていくことができるかなと思いました。

## 「政教分離」と「メタ宗教」

末木　戦後は、宗教が政治に口を出してはいけないということで、いわゆる「政教分離」を強く言うわけです。ところが現実にはどうかというと、公明党の場合がそうですし、自民党にもさまざまな宗教的な勢力が入ってきているわけです。したがって、もう一度、「政教分離」が大きな問題になってくるのではないか、それのとらえ直しが非常に重要なのではないか。

それに関係して付け加えたいのは、そういう視点から戦後の憲法を考えた時に、これまで「政教分離」の観点から現行憲法を考えていたために、いまの憲法は宗教とはいっさい関係ありませんと思われていたんですね。ところが、憲法の前文を読んでみると、あれはほとんど一つの宗教的理念の表明ではないか。我々が普遍的に求める世界はこうなんだ、人類すべてが求めていく理想を我々は求めていかなければならないという、一種の宗教性を持った理想主義がうたわれている。憲法研究者の古関彰一さんは、キリスト教、特にクエーカー系のキリスト教者たちが関与した、と指摘しています(『日本国憲法の誕生』)。実際に当時のGHQにもそういう人たちはいたのですが、日本側もそうだったのではないか。戦後の日本の知的リーダーになった人物は、ほとんどが無教会系のキリスト教者でした。南原繁がそうであり、南原のあとの矢内原忠雄がそうですね。あるいは大塚久雄もそうですし、丸山真男なんかもかなりシンパシーを持っていた。実は、長谷川町子の母親は矢内原に傾倒していました。マックス・ウェーバーの理論ではありませんが、プロテスタンティズムの宗教性を除いた世俗的な生活倫理みたいなものが、『サザエさん』には現われている。それが『サザエさん』が、長い間、広く読まれた理由にもなると思います。無教会的なものは、戦後の精神に宗教性を与えていったのだと思います。

もう一つ、最近になって知ったのですが、岩間浩さんがユネスコの源流に神智学があることを言っているんですね(『ユネスコ創設の源流を尋ねて』)。神智学協会は教育を一生懸命やるわけです。それがシュタイナーにもつながっていくわけですし、クリシュナムルティの発見も、若い人を教育していく発想から出ている。そういう普遍的な教育理念がユネスコにつながっていると言われて、新しい視点から神智学の再評価が出てきているんです。憲法の前文を見ますと、ユネスコ憲章の前文とよく似ているんですよね。ユネスコ憲章は、要するに平和は人の心の中に砦を築かなければならないということで、心を重視する。だからユネスコ憲章はマルクス主義者なんかから批判されるわけです。そういう流れも、戦後憲法に注がれているのではないか。宗教性を取り戻してみたら、戦後憲法の読み方も変わってくるのではないかと考えております。

「政教分離」のあたりの問題を絡めて、岳志さんから、お願いします。

**岳志**　いくつかポイントがあると思っています。まず一つは、世俗化という問題を議論しておかないといけない。ホセ・カサノヴァ*という人が世俗化はもう行き詰まっているという議論をしているのですが、カサノヴァは世俗化には三段階あると言うんですね。宗教が持っていた全体性が失われて分化していくことが、まず一つです。つまり、医療とか教育とか、あるいは政治もですけれども、それらが宗教的な領域から分化されていく。そういう全体性を失っていくのが、第一段階である。第二段階は、宗教の私事化です。パブリックなところではなくてプライベート、自分自身という個の内面の悩みとか、そういうものに呼応する商品のようなものが宗教である段階。三つ目は、宗教そのものが減退化していく。そういうある種のテーゼみたいなものがあります。

宗教の脱私事化というのが彼にとっての問いだったのですが、カサノヴァの非常に大きな問題は、最初のものを是認していることなんです。つまり、宗教がホリスティックな領域ではなくて、それが分化されてくるという近代のテーゼは有効だという言い方をしている。いま僕たちに問われているのは、むしろその領域であると思うわけです。つまり、医療の中にグリーフケアの問題が入って来るように、分化されたものの中にもう一度宗教性を取り戻さないといけないのが、いまの状況であろう。しかし、「近代」が問いかけたことがまったく無意味だったかというと、そういうわけでもない。その視点から「政教分離」をどういうふうに見るのかが重要になってくると思うんですね。「政教分離」と言った時の「政」と「教」はいったい何を示しているのか。そこは政治学で問題になると思います。「政」というのが、政府や行政を指しているのか、あるいは政治全般を指しているのかによって、かなり意味が違ってくる。「教」というのも、特定の教団を意味しているのか、あるいは宗教性そのものを意味しているのかによって全然違うわけです。特定の政府が特定の教団と結びつく、そして特定の教団に対する一種の利益供与を行い、そして別の宗教に対する弾圧を行うような、そういうタイプの政教一致は退けなければいけない。しかし、政治全般と宗教全般を切り離すなんていうことは、とうてい不可能な命題である。そこのところを問いかけないといけない。ここの位相の違いをまずはっきりさせておかないと、「政教分離」の問題は、うまくいかないと思うんですね。

その時にどういう方法があるのかというと、たとえばガンディーはこの問題に迫ろうとした人だと思います。ガンディーが塩の行進をなぜやったのかというと、彼は宗教と政治というのは絶対に切り離せないものである、一体のものである、しかし特定の宗教のドグマとかイコンを使わずにそれはできないのかということを考えた人であった。歩くとか食べないとか、チャルカーという糸つむぎ車を回すとか、特定の宗教を超えた宗教の次元、「メタ宗教」の次元というものを極めてシンプルに、かつ行為として示すことによって、政治と宗教の関係性をつむぎ直そうとしたのですね。これはまだ有効な考え方であると思っていまして、そういった次元における政治と宗教の関係性をとらえ直してみたい。

この問題ともう一つかかわっているのが憲法の問題で、特に日本国憲法というのは短い憲法なんですね。憲法学では英米法の流儀だからだと習うのですが、もちろんそうでもあるんですが、しかし日本国憲法が短いのは、おそらく私たちの間に、憲法に書かれていないもの、判例なり、あるいは慣習、解釈を尊重してきた蓄積があるからで、憲法は単に明文化されたものだけではなくて、それをめぐるさまざまな慣習によって支えられているというコモンセンスが一定程度あるからだと思います。かつまた、その部分は大日本帝国憲法から連続しているものでもあります。いくら憲法が改正されたとしても、それは明文上の問題であって、大半のものは継承されている。基本的には書かれていないものの領域において憲法は連続しているというのが、美濃部達吉などが考えたことだと思います。そういう憲法の明文化されていないものを軽視するのが、この一〇年ぐらいの政治なんですね。憲法五三条が臨時国会で問題になりましたけれども、四分の一以上の野党側からの要求があれば臨時国会は開かないといけない。しかし安倍内閣は開かなかった。なぜかというと何日以内と書いていないからだと、子どものようなことを言うわけです。しかし自民党の総務会とかは、概ね二〇日以内ぐらいで開くという慣習をもって憲法を運用してきた。この「書かれているもの」のみを憲法と見なし、慣習や暗黙知の蓄積を無視するというのが、安倍政権のあり方で、「書かれていないもの」に繊細になること、そしてそれをどう共有するのか、この部分に、末木さんが提起してくださった宗教の問題とか、霊性の問題がかかわってくる。そして、それがたぶん死者の声なんだと思います。

**末木**　戦後の日本でキリスト教は大きい意味を持ってきたと思うのですが、そのあたりをどう評価していくのかについて、若松さんからお願いできますか。

**若松**　ここで注意したいのは、宗教組織としてのキリスト教と霊性としてのキリスト教を少し整理しておく必要があるかもしれません。なぜなら、内村鑑三の無教会に連なる人たちは洗礼を受けるという道程を経て、信仰を生きるとは限らないからです。

ただ、戦後、日本再建の時、新渡戸稲造と内村鑑三の血脈を継ぐ人たちがとても力を持ったということ、これは歴史的事実としてあります。一九四八年、戦後からほどないときの宮内庁長官も侍従長も新渡戸、内村に学んだ人です。平成天皇の教育を担った人はクエーカーでした。新渡戸稲造がクエーカーだったことも記憶してよいことだと思います。昭和天皇・皇后が戦後すぐ聖書の勉強会をし、キリスト教を深く学ばれたというのは、文書的にも確認されています。

たまたま聖武天皇のことを調べた時にふと思ったのは、聖武天皇は受戒しているんですね。歴史の中でも、天皇と神道をかんたんにくっつけるわけにいかない。

日本が敗戦を経験したあとに、ものすごくドラスティックに変化する可能性があったわけです。その影響は今日まで続いていて、実はとても大事な役割を担ったのはパスカルを訳した前田陽一なんですね。前田陽一は、平成天皇のフランス語の先生でした。その関係で上皇后と親しくなっていくのが神谷美恵子です。神谷美恵子は、あまり知られていないですけれども、とても激しい信仰を持った無教会の人です。神谷美恵子の『生きがいについて』を読んでみると、無教会の人たちが幾人も出てきます。藤井武*や、神谷美恵子と一緒に活動していた叔父が金沢常雄ですが、金沢常雄は内村鑑三の高弟です。

さきほど南原や矢内原のお話をされましたが、彼らは内村と新渡戸、両方に師事していた。矢内原の『余の尊敬する人物』という本がありますけれども、内村と新渡戸の両方が出てきます。無教会の内村と、クエーカーの新渡戸と、両方に育てられたのが南原であり、矢内原なんですね。無教会もクエーカーも、いわゆる日本キリスト教の本流ではないんです。本流ではないものを父とし母とした人たちによって、戦後すぐに日本が再建されようとしたという事実は、考えてみるべき問題です。いわゆるカトリックとプロテスタントとか、その流れのキリスト教の文法とは違う。これはとても大事なところだと思います。

キリスト教には『新約聖書』の優位があるんですね。『旧約聖書』も大事だけれども、『新約聖書』の優位がある。プロテスタント、カトリック関係なくそうですけれども、無教会は、「創世記」から「ヨハネの黙示録」までが一巻の本で、旧約、新約という区分がない。全部で一巻の本である、というのが無教会の考え方です。

そうなると何が一番違うのかというと、預言者という存在が生きてくる。プロテスタント、カトリックには預言者がいない。それは洗礼者ヨハネで終わりです。イエス以降は、預言者が絶対に出ない。だから預言めいたことをすると破門される。

けれども現実世界にあるはたらきをもつ預言者があらわれるのは、無教会の人たちには当然のことだった。内村が亡くなった時に藤井武は、やっぱり内村先生は預言者だったと、とても強く表現したわけです。

そういう世界観が、忘れられつつあるように思いました。無教会の信仰は、ときにとても烈しいんです。時代に介入することも厭わない。時代と深く向き合った霊性でもあった。同じキリスト教ですけれども、無視できない違いがあることは注意しておかなければいけません。

末木　とても大事なご指摘と思います。そうするとある意味では、岳志さんが言われたガンディーのような一種の「メタ宗教」というか、既存の宗教にとらわれない、もう一つの宗教性みたいなもの、無教会派もある意味ではそれに近づいていると考えることもできるわけですね。

若松　さきほど宮沢賢治の話が出ましたけれども、賢治の「雨ニモマケズ」のモデルになったのは斎藤宗次郎だと言われています。斎藤宗次郎は内村に最期までよりそった人です。だから、宮沢賢治が内村鑑三を知らなかったというのはあり得ません。いままで賢治のキリスト教からの影響も、カトリック、プロテスタント的に読まれてきたんですけれども、無教会的に読み直さなければいけないという問題がある。

無教会のキリスト教で生きていたのにカトリック、プロテスタント的に読まれてきた文学者がもう一人いて、それが太宰治です。太宰治の持っていた聖書は無教会の聖書です。カトリック、プロテスタントの聖書ではない。「近代」をとらえ直す時に、キリスト教はキリスト教でも、違うキリスト教だということは重要な点だろうと思います。

## 「宗教」と「国家」の再定義へ

末木　いまの若松さんのご指摘はたいへん重要でして、宗教というもの、あるいは宗教性というものをどうとらえるのかという問題にかかわってくると思います。隆博さんから、いかがでしょうか。

**隆博**　岳志さんがおっしゃったように、「政教分離」をどう理解するかというのは、難しいですよね。英語だったらseparation of state and churchですから、国家と教会なんですよね。それをそのまま日本に当てはめるというわけにたぶんいかなくて、プロテスタンティズムを核とする宗教理解では、なかなかつかめないのが実態だったと思うんです。まさに無教会は、教会に関して否定をするわけですから。では、どうやって近代日本で「政教分離」を考えていけばいいのか。大日本帝国憲法の中で、井上毅たちが「政教分離」の問題を考えていたと思うんですけれども、今とそんなに変わっていないと思うんです。だから、ひょっとしてこの問題は、明治以降きちんと議論できていないのかな、と。やはり宗教概念が曖昧なわけですね。さきほど私は仏教の宗教化とか、儒教の宗教化あるいは非宗教化の話をしましたけれども、そもそもどういうかたちで「宗教」をつかまえるのか、そういう議論につながっていくのかな、と思います。

たとえば井上円了なんかは、公認宗教、国家が公認した宗教をつくらなくてはいけないという議論を一生懸命やっていくんです。宗教と国家を結び合わせる何か道がないかとやってはいくのですが、うまくいかないわけです。戦前の日本では、最終的には国家神道というかたちで、国家と宗教がこっそり結合するというふうになったわけですね。戦後は否定されるわけですけれども、さきほどの議論にあったように、否定したところで否定しきれないものが回帰してくる。

そのうえで、今日において「政教分離」の議論を、どう進めていけばよいのか。私はもう一度、「宗教」とか「宗教性」ということの再定義をやらざるを得ないという気がしますね。近代的なプロテスタンティズムをベースにした宗教概念ではつかみきれないようなものが、やはりあるだろう。それがもしできれば、今度は「国家」のほうですよね。国民国家という定義だけではおさまらない問題が、たくさん生じています。たとえば民主主義であっても、沖縄の問題はどうするのか。マジョリティが「沖縄に基地を」と言ってしまったら沖縄は何も言えないじゃないか、しかし、それはあまりにひどい。こういうアポリアが当然あるわけですよね。本当にそれでいいのか。いいわけないですよね。ですから、国家というもののありようも当然、問い直されていく。議論をうかがいながら、そんな気がしておりました。

**安藤**　若松さんから、無教会に集った人々の持つ預言者性、預言者性への希求についてのお話がありましたが、井筒俊彦は終生、預言者性にこだわり続けた表現者だったと思います。そのことに関連して、安易に評価を下すにはきわめて危険な主題だと思いますが、あえてここで提起しておきたいことがあります。若き井筒が、おそらくは相当な情熱をもって取り組んだアジア主義の問題です。近年、大川周明が出版したものの中で学問的にもしっかりしたものだと評価される『回教概論』ですが、私はいくつかの根拠から、その骨格となる部分は大川ではなく、井筒が書いたのだと推定しています。井筒の中にも明らかに大川のアジア主義に深い共感を寄せている部分があった。二人をつないでいた一つの重要な要素が、預言者という特異な存在への関心であったと思います。預言者は、神から授けられた聖なる言葉をもとに、地上の秩序を根底から変えてしまえる人間です。神のもとでの平等、聖なる言葉への服従をもとに、部族や国家という枠組みを易々と超えてしまう信仰の共同体を組織し得た。国家を超える共同体を組織するための一つの方法は、政治の中に預言者性を回復することです。しかし、そのことは、これもまた容易に信仰を同じくしない者たちへの侵略や征服を正当化してしまう。世界大戦の予感の中、国家を超える信仰の共同体を組織する要として、明らかに、宗教的な預言性を持った者を政治的な指導者に据えて国家を改変(改造)していくというヴィジョンをさまざまな人々が抱いていた。政治的な革命は宗教的な革命としてしか生起しないと思われた。そのときに一つのモデルとなったのがイスラームの預言者ムハンマドであり、ムハンマドを範として宗教的かつ政治的に急進的な力を持たせた天皇であったと思います。大東亜共栄圏の宗教的かつ政治的な支配者たる天皇ですね。国家という枠組みを超えるための一つの手段です。しかし、それが本当に実現されてしまっていたら、現実に起こったこと以上の破滅が極東の列島にもたらされたかもしれません。本当にそれでよかったのか。預言者という存在を、近代日本の中で考えたとき、私はつねにその問題に立ち返ります。

**末木**　「宗教」をどうとらえ直すかという問題と、もう一つは国民国家の問題ですね。「国家」と言ったら、すぐに国民国家を考えてしまう。たとえば、戦後の国連とか、ユネスコの理念は、ある意味では国家から一気に世界の問題に飛ぶわけですが、そうかんたんにはいかないところがある。井筒俊彦が取り上げたイスラームは、たしかに近代的な国民国家の枠にも、あるいは近代的な宗教の枠でもとらえきれないものが問題になっているわけですが、「宗教」と「国家」、それぞれをどうとらえ直していくのかについて、ご意見をお願いします。

**隆博** それでは、預言者について、すこし。日本近代の宗教を調べた時に、バハーイー教*のことをすこし見てみたのですね。バハーイー教は、一九世紀半ばに、バハー・アッラーを開祖にしてペルシャ(イラン)に生まれた新しい宗教運動ですけれども、これは、ムハンマドのあとにも預言者はいるということを強調していくんですね。しかも、いろいろな宗教をすべて認めるというふうに、ある種の「メタ宗教」なんです。そのバハーイー教に対して井上哲次郎が面白いことを言っていて、バハーイー教第二祖のアブドル・バハーが、日本の将来についてアメリカの西海岸で預言をした、と。何かというと、「今後の新たなる文化は日本より興るであろう」と言った。これをわざわざ書き留めているんですよね。日本のことをバハーイーの人たちが言及していたということは、その当時、非常に密接な知的ネットワークがあったという気がするんですね。井筒なんかも、こういったものと無縁ではなかったと思います。

井上哲次郎は孫文の三民主義を批判するんですけれども、それに対して何を持ってくるかというと、孔子の子孫を君主にしなさい、その上で日本と同じような君主制にしなさい、しかも立憲君主制にしなさい、とこういう言い方をしているんですよね。これは戦前の立憲制の一つの解釈だと思うんですけれども、こういう使われ方も当時されていたということですよね。ということは、井上的なものからどうやって逃れるかというのが、私たちにとってのテーマになる気がするんですね。井上は日本の天皇制と孔子の子孫による君主制を並列して考えていたわけです。そうではない想像力を、私たちはどうやって持てばいいのか、そこが重要だと思います。

**安藤**　バハーイーなのですが、鈴木大拙の伴侶となったビアトリス・アースキン・レインの母親、エマ・アースキン・ハーンがやはりバハーイーなんです。当然ビアトリスもその影響を受けています。母であるエマは娘であるビアトリスを追って日本を訪れ、日本で亡くなっています。大拙とビアトリスは、そうした環境の中で出会っている。もう一つ、バハーイーを積極的に受け入れていたのが、出口王仁三郎率いる大本でした。

**隆博**　そうなんですか。

**安藤**　ビアトリス自身も大本に行っています。王仁三郎は大拙が日本語に訳したスウェーデンボルグの『天界と地獄』も読み込んでいますし(『霊界物語』の重要な典拠の一つになったと推定されています)、折口が理論的に突き詰めようとしていた国家神道以前の神道、神憑りの神道を文字通り実践しています。神憑りと預言者性は出口王仁三郎のうちで一つに固く結び合わされていた。

さきほど国家を超える原理として預言者性を提起しました。それと対極に位置しながら、やはり確実に国家を超えていくためのもう一つの方法があります。国家を形成しない遊動性を、集団として生きることです。このことは折口信夫には、はっきりと分かっていたと思います。なぜなら、折口は「まれびと」を二つの極から考えていたからです。ミコトモチとホカヒビト、天皇と放浪する芸能民たち、つまりは、預言者性を突き詰めていく者と遊動性を突き詰めていく者たちです。折口の「まれびと」(その源泉としての柳田の「山人」)の直接のモデルになったのは台湾の山地人、今日では、いわゆる「原住民」と総称される人々です。彼ら、彼女らは、自分たちの村の人口が増えすぎると、そこから分かれて、外へと出て行く。新たな大地で、自分たちの規模に見合った新たな共同体を組織する。生活の中に遊動性が組み込まれていた人々でした(当然のことながら、現代ではそのような生活スタイルは許されていません)。台湾の「原住民」はきわめて多様です。それぞれ話す言語が異なっています。ただし、異なっているとは言え、それらの言語はすべてオーストロネシア語族に属しています。オーストロネシア語族の言語を話す人々は台湾だけでなく東南アジア、メラネシア、ポリネシアからラパ・ヌイ(イースター島)まで広大な海の領土にひろがっています。まさに海の遊動民たち、海のノマドたちです。国家を形成しそうになる度にその外へと、海の彼方へと出ていくのです。国家に抗する遊動的な社会が、無数の島々に展開されている。アニミズム的な霊魂信仰、アニミズム的な他界信仰を持った魂の航海者たちでもあります。折口が幻視していた、原初の神憑りとも通底するような信仰を糧として、海を遊動する人々のネットワークが確実に存在していたのです。島の一つ一つは独立した宇宙であるとともに、それらすべてに通底する信仰のネットワークが存在しているのです。その姿は、新たな時代のネットワークを築いていくためのヒントになるでしょう。遊動民たちのネットワークが存在するのは海だけではなく、山(東南アジアの山岳地帯)でも同様です。現代では、「ゾミア」と総称されています。折口は国家を超える原理として、預言者性と遊動性の二つを考えていました。それは「古代」の問題ではなく、折口が生きた時代、さらにはそこから連続している「現在」の問題でもあるはずです。

**岳志**　大川周明と京都学派と大本という問題を考えていたんですが、共通している一つの型があると思います。どういうことかというと、大川周明がなにゆえにイスラームに関心を持ったのかという問題なんですね。竹内好は、大川はイスラームによる世界の統一を考えていたのではないかと書いている。たしかに大川周明は「万教帰一」で、そして世界の統合というものに強い関心があったのですが、自分自身がムスリムになるとか、あるいはイスラームのカリフ制による世界の統合を考えたかというと、そうではないと思うんです。というよりも彼は、イスラームが持っている普遍的な波及の構造に関心があって、なにゆえに砂漠地帯で生まれたイスラームがインドネシア(蘭印)の熱帯雨林の中まで波及していくのか。文化というものを超えて、ある種の宗教というものが持つ普遍性とは何なのか。つまりその奥には、日本の国体がそういう普遍性を持てるのかという関心があったと思うんですね。大川周明は、天皇とムハンマドという問題を徹底的に考えた人だと思いますけれども、国体の主体化という問題から、最後は飛び出すことができなかった人だったと思うんです。そこを突破しようとしたのが、たぶん井筒俊彦だと僕は理解しています。

同じ構造がやはり京都学派にもあって、京都学派の最重要人物の一人は高山岩男《こうやまいわお》*だと思います。高山岩男が言っている「文化類型学」とか、あるいは「世界史の哲学」というのは、基本的には、もはや世界というものは一元的な世界史的世界、世界的世界が現われている段階である、と。文化類型学は、その「一」なるものというのが、どういうふうに多元的に文化として現われているのか、その「一」と「多」の関係性、そしてその多元性の中に類型がある、そういう論をやっているわけです。高山は「世界史の哲学」を構想するのですが、しかし、その世界的世界を構築するのは誰なのかというと日本だという、どうしてもそれが日本の主体化という問題になるんですね。

彼が書いている文章について言うと、それが帝国主義的だと言われることは自分自身でよくわかっているわけです。欧米の帝国主義を批判しながら、自分が帝国主義的な態度を取らざるを得ないという政治的な矛盾を、「日本のジレンマ」とか「苦愛」という言い方をしています。この苦しみというものを、なんで中国は理解しないのかというふうに怒り出すんです。これが、高山岩男、高《こう》坂正顕《さかまさあき》*、西谷啓治《にしたにけいじ》*、鈴木成高《すずきしげたか》*、いわゆる京都学派四天王といわれた人たちが『中央公論』でやった「世界史的立場と日本」という座談会の決定的な過ちだったと思うんです。

大本も、同じような問題と引っかかってくる。一九二〇年代の第一次弾圧のあとに、バハーイー教とつながったり、紅卍字会《こうまんじかい》*とつながったり、人類愛善会というのを使って普遍宗教を説いたり、エスペラントを取り入れたり、いろいろとやるんですが、しかし三〇年代に入ると一気に昭和神聖会というものをつくり、日本で最も会員数の多い右翼団体になっていったりする。そこに内田良《うちだりょう》平《へい》*とか頭山満《とうやまみつる》がかかわってくるわけですね。普遍的なものを求める、メタ的なものへアクセスしようとすることが、なぜ日本の主体化という問題になっていったのか、そこをどういうふうにとらえ直すのかというのが、きょうの議論に入れておかないといけない重要な視点だと思いました。

**末木**　若松さん、いかがですか。

**若松**　いまの岳志さんのご指摘はとても大事だと思うんです。まず預言者の立ち位置という問題があって、預言者は、単に人間のために働く人ではない。まず、神のために働く人です。だから、神とこちらの世界をつなぎ、神の秩序にこちらを従わせるのが預言者の仕事であって、こちらにいる人に都合のいいことを言うのは、預言者ではない。

預言者がやろうとしていることは、常にこちらの世界は小さいんだ、と人間に分からせることです。あちらの世界から来れば、こちらの世界は相対的に小さくならざるを得ない。

私たちはどうしたかというと、そのような預言者をこの世的に理解して、この世的に使ったわけです。そうしたら過ちが起こるのは当たり前で、預言者がこの世にないものを語っているのに、この世に探すということを始めてしまう。それが預言者の言葉の誤解ということにもなってくると思います。

預言者が切り開きたい世界は、水平軸ではなくて、垂直軸です。預言者の言葉を、私たちは水平的ではなく垂直的に理解していかなくてはならない。人の利益のためではなく、キリスト教的にいえば「神の栄光」にその意味を読み解いていく必要がある。預言は神の言葉でなければならないのに、人の言葉に変わることがある。ここには大きな注意点が必要です。

もう一つ、井筒俊彦に関してですが、まず井筒にとって「イスラーム」という言葉は超国家的存在であるということです。イスラームというのは国家の名前ではない。たとえばサウジアラビアとかイランとかイラクとか、それはイスラームの中にある国という共同体の名前であって、イスラームそのものは国家をある意味では超えている。ですので、井筒俊彦も大川周明もそうですが、国家を超えるものとしての何かが、彼らにとっては「イスラーム」だったわけです。イスラームを使った国家なのではないと思います。

多層的な国ということを個人的にいうと、アウグスティヌスがいう「神の国」があって、カトリック教会という多国にまたがる共同体がある。そして、日本があるわけです。「国」をめぐるこうした多層性はとても強く感じます。

この世のあり方だけを考えてみても、教会という「国」と日本という「国」、二つに属しているという感じがして、自分はカトリック教会のほうに優位をとれるのかとれないのか、実存的な問題としてあるわけですけれども、その二重性です。それはイスラームの問題を考える時にも理解しておかなければいけない。

**安藤**　いままでのお話をうかがってきて、「メタ宗教」とは新たな哲学でもあるのではないかとふと考えました。哲学は概念とともに刷新されていきますよね。きょうの議論で触れられていた表現者たちはみな、独創的な概念を発明するとともに、その概念にもとづいて自らの思索を深めていっています。たとえば、西田の「場所」や大拙の「霊性」。さらには熊楠の「曼陀羅」、柳田の「祖先」(あるいは「常民」)、折口の「まれびと」。そして井筒の「無」にして「無限」の神。いずれもそこから新たな哲学が展開されているとともに、やはり彼らが希求していたのはみな「メタ宗教」だったのではないかと思います。いずれの概念も、実は古くから用いられていた宗教的な術語を、独特な形で現代によみがえらせたものです。同時に、いずれの概念もまた「私」を超えた他者との共生を志向している。人間的な「私」を解体することではじめて他者との共生が可能になる。「近代」を否定するのではなく、「近代」を取り入れながら、いかにしてその「近代」に抗い、いかにして自分たちとは異なった者たちと共生していくのか。そこが賭けられている。異なった者たちの中には、未来の子どもたち、過去の死者たちも含まれている。冷静に考えてみればこれもまたきわめて当然のことなのですが、おそらく現代の「メタ宗教」は新たな哲学にならなければなりませんし、現代の新たな哲学もまた「メタ宗教」にならなければならない。そういうことではないでしょうか。

## 「メタ宗教」の条件

**若松**　今、お話しくださった「メタ宗教」ですが、みなさんはどのようなイメージをお持ちでしょうか。一番まずい例は、言語で言うとエスペラント的宗教だと思います。じつはまったく「メタ」ではなく、それはすでにあるものの折衷だと思います。

**末木**　私は、それはいろいろ考えられると思うんですよね。たとえば神智学のアニー・ベサントの本など読んでいると、けっこう基本的な概念を、ヨーロッパの言葉の範囲ではなくて、インドの言葉で読んでいこうとしている。これがたとえばシュタイナーになると、むしろヨーロッパ的なものの中に還元していく。逆に言うと、ヨーロッパの思想史の中でとらえきれるものにされていってしまう。若松さんが言われたように、下手をするとごちゃまぜのものになる。でも、ベサントが論じている範囲ですと、インドの宗教を一応きちんと理解できる。つまり、ある意味では東洋と西洋の概念を行き来できる、そういう装置をつくろうとしている。直ちにそれを「メタ宗教」と言ってしまえるかどうかは微妙ですが、そういうかたちでまさしく往復運動ができる。神智学はアジアの宗教に大きい刺激を受けて、ヨーロッパの中でそれをこなしていく。今度はそれが、たとえばヘンリー・オルコットを通して、アナガーリカ・ダルマパーラの仏教復興などに結びついてくる。つまり、東洋と西洋とのやりとりが成り立っていくことになる。そういうのはやはり重要ではないか。一方だけに入り込んでいくのではなくて、両方に行ったり来たりができる。往復運動ができる場といいますか、神智学のいわば良質な部分はある程度そのような方向性を持ち得ている感じがしています。

**岳志**　僕は、ガンディーと一連の人たちが考えた「メタ宗教」というのは、最も抽象的であり、最も具体的なものであったと思うんです。ガンディーにとっても、それは「不二一元」のようなものであり、かつそれは歩くという行為によって表現できるものですね。あるいは食べないということによって表現できる何かであったりする。そういう極度に抽象性を持ちつつ極度に具体的なもの、生活そのものの中にある行為というのが、「メタ宗教」の一つの態度ではないかと思っています。

**隆博**　岳志さんの説明を聞いて、すぐ思い浮かべたのは「礼」なんですよね。「礼」というのが、非常に実践的でありながら、他方で非常に抽象的なものなんですね。実践がなければ意味がないんです。

預言者の問題でも、実践の中で何を明らかにしていくのか、そこにかかわっていると思います。たとえば井筒自身の読解の特徴を見ていくと、シャーマンについて、「パーソナルなもの」というつかまえ方をするんですよ。これは非常に理解が難しいなと思っているんです。つまり、プライペートなものでもないし、パブリックなものでもない。それとはぜんぜん違う仕方で「パーソナル」というのを使っているんです。アンリ・マスペロから来ているという気がしているんですけれども、井筒はシャーマンあるいは預言者に対して、独特のアプローチをしている。

若松さんがおっしゃった、死者というのは生者の記憶の中でどうこうするものではない、あるいは過去に属しているものではないということには、非常に考えさせられます。そうすると死者とかかわる時に、井筒だったら「パーソナルな」というふうに言うと思うんですけれども、そういう独特の、しかし私たちにとってはある意味では非常に親しいかかわり方が出てくるのではないか、そんな気がしているんですよね。「礼」なんていうのも、パーソナルなところでやらない限り、意味がないわけです。単に一つの儀礼としてやれば、すぐ腐ってしまいますよね。そのあたりの、ある種の生き生きとしたものを取り戻さないといけないのかなと、思いました。

**若松**　まず、「メタ宗教」が存在するとしたら、それへの改宗を求めないことではないかと思います。もう一つは入信を求めないということが「メタ宗教」の条件だと思うんです。

そこで想い出すのが、柳宗悦の民藝運動です。民藝館を建てたとき柳は、この場所は美の殿堂でもあるけれども平和の殿堂だ、と書いています。なんで平和の殿堂かというと、美は人々を包み、人々を黙らせるからだというのです。

入信もなく改宗もない。柳がやろうとしたことは結局、教祖・教典がないということだと思うんです。教祖がいない。人間が真ん中に立たない。根本教典というのを宗教はみんな持っているわけですけれども、そういうものもない。言葉がすこし退いて、人が退いて、入信・改宗がなくなるのが条件だと思うんですね。宗教が持っているエッセンスというものが、どこか昇華されてくるのが「メタ宗教」ではないかと感じています。

## 天皇と国体をめぐって

**末木**　「メタ宗教」について、もうすこし議論したいところですが、さきほどから天皇と国体の問題が出されておりますので、そちらにシフトしてみたいと思います。天皇の問題というのは、どこまで行ってもそれが一つの行き着くところとして、言ってみればお釈迦様の掌みたいに、日本の少なくとも戦前の思想が抜け出せなかったところですね。天皇論のとらえ直しというか、これも本当にすごく大きい問題になってくるわけですが、それを議論できたらと思います。

まず私から言えるのは、もともとの天皇がどうだったのかというと、聖武天皇のように、仏教に帰依することもあり得たわけです。天皇は、もちろんその先祖はアマテラスにつながると早くから言われるのですが、しかし先祖が神につながるというのは、主要な貴族はみんな神につながるわけです。藤原氏であればアメノコヤネにつながります。つまり、貴族みんながそれぞれ神につながっていく中で、そういう貴族集団の中でやや高い位置にあるというか、中心になっていくのが天皇だった。天皇だけ孤立して何か特別な神の子孫であって、ほかはみんな天皇の臣民というかたちで二元化されるものではなかった。貴族は江戸時代になればいわゆる公家集団ですが、そういう公家集団の中核が天皇であり、朝廷であったわけです。それが明治になって大きく変えられて、公家集団は全部排除されますから、天皇だけが特別な存在として見られる。だから、神の子孫ではあるけれども、もともと神道と特別に結びついていたわけでもない。まさに隆博さんが言われたような「礼」の問題であって、一番大事なのは神を祀ること。あくまで天皇というのは祀る存在なわけで、神を祀り、それと同時に仏も大事にする。そうやって国の秩序を保っていく。そういう世俗の王者であることが天皇の役割であったわけです。それが大きく変わって、天皇だけが絶対視されて、同時に神道が天皇の中に吸収されていくような、そういう体制が明治になってつくられていった。それが「国体」と言われて、いにしえの日本から続いてきたかのように思われてしまったわけです。我々はともすると、それが頭にこびりついていて、天皇とはそういうものだと考えてしまうわけですが、一度、明治の国体論の天皇というものを解体しなければいけないのではないか。それが現代の問題を考えていくうえで、重要なポイントだと思うのですが、一言ずつお願いします。

**安藤**　近代的な天皇の解体ということであれば、私にとって指針となるのは、折口信夫の理論と出口王仁三郎の実践です。霊魂の永遠性と、その霊魂が賦与されることで有限である者の中に無限の者が顕現してくる。つまりは神憑りの理論と実践なのですが、それらを現代まで伝えてきてくれた人々がいる。修験道の行者たちに代表される宗教者たちであり、その源泉となった、『日本書紀』などに具体的に記された天皇たち、あるいは天皇のごく近くにいた女性たちへの神憑りの記録です。しかもその上、折口や出口の周囲には、霊魂の永遠性を現代まで伝えてくれている高貴な一族の末裔が、実際に存在していたのです。出雲《いずも》国造家《こくそうけ》に連なる人々です。出雲国造家の祖先は、天皇家と同じく、アマテラスとスサノヲの誓約(うけい)から生まれた王子たちまでさかのぼります。天皇家と同じく神の血を引いているのです。しかし明治の革命の後、神道界の主導権争いで、出雲は伊勢に敗れます。スサノヲの血を引く一族は、国家神道の枠の外側に出ざるを得なかった。そこで、国造家に伝えられていた霊魂継承の秘儀の詳細を公表してしまいます。折口と出口がともに神道の基礎を学んだ國學院(出口は京都の皇典講究所)には、国造を継ぐべき人物も通っていた。おそらく二人は、そこで天皇家に伝わる霊魂継承の秘儀(正確にはそれと同等のもの)の詳細を知ったはずです。だから、『大嘗祭の本義』に結実する折口の理論も、鎮魂帰神法として整理される出口の実践も、決して荒唐無稽のものではありませんでした。出雲において、出雲大社と対をなす熊野大社には一つの炎が太古から燃え続けている。その炎(「ヒ」)は物理的な「火」にして同時に神秘的な「霊(「ヒ」)」なのです。新たに国造になった者は、永遠に燃え続ける「ヒ(火にして霊)」から自分の「ヒ」を引き出し、以降、肉体的な死にいたるまで、その「ヒ」を用いて調理したものしか口にしません。肉体は滅びても「ヒ」の継承は永遠に続いていくのです。宗教的な祭祀の主、原初の王の身体とは、永遠なる霊魂の容れ物に過ぎなかったのです。近代的な天皇制を解体するのなら、おそらくは、この地点にまでさかのぼらなければなりません。解体とは、実はもう一つ別の天皇制、しかもより荒々しい霊的な権力を持った天皇制を再構築してしまうことにつながってしまうかもしれません。あるいは折口や出口の営為もまた、幻想として再構築された「古代」にもとづいた一つの近代的な解釈学に過ぎないのかもしれません。しかし、彼らが見た、あるいは体験した神憑りは、日常生活の傍らに現実に存在していたものです。明治の革命前後から現代にいたるまで、無数の人々によって絶えず反復され、絶えず再生されてきたものです。それを無視することはできないと考えています。

**隆博**　私は、国体と天皇というテーマだと、丸山真男のことを考えてしまうんですね。彼が『正統と異端』という本をつくろうとして、それができなかったということの意味が重要だという気がするんです。つまり、超国家主義というのが崩れて国体が断絶したという、ある種パフォーマティブな宣言を丸山はするんですね。では、断絶した国体とは何であったかというと、内容がまったくないんです。しかし、それが全ての価値を支える根拠だったはずです。ところが、いくらめくっても何もないと、丸山は思い至る。最初はそれに対して、もっと法的なレガリテート（合法性）というのを対置することによって何とかその不備を補おうとしたんですけれども、それでは足りない。これはレジティマシー（正統性）の問題に根本的にはかかわるのだから、その時にモデルにしたのが、やはりキリスト教なんですね。正統と異端。丸山は、戦後キリスト教とマルクス主義というのは、本当は天皇制と対決をしなければいけなかった、でもそれを回避したんだ、という言い方をしています。それは半分当たっているかもしれないけれども、半分は当たっていないと思っていて、そういう仕方で対決したところで、たぶん近代の日本の天皇制問題は解けなかっただろうと思います。

そうだとすると、戦後日本で我々が本当にレジティマシー問題の核で考えていたものは何だったかというと、やはり憲法しかないと思うんです。きょうの議論にもずっとありましたけれども、憲法をめぐる議論というのが果たして戦前の国体と天皇というのを超えるような強度をどこまで持っているのか、あるいは持とうとしているのか。ここにかかっているという気がして、どこかで丸山的な枠組みから離れないといけないと思うんです。そのうえで改めて、日本国憲法とは何かということを問うことで、無内容である国体、そして近代の天皇制に別の光を当てることができるのかな、と。

日本国憲法は別に単独で成立しているわけではありません。いろいろな憲法の概念的な循環の中で成立しているものという気がします。さきほども明文化されていないところが非常に重要というお話があって、まったくその通りだと思います。そのあたりを私たちはどうやって議論するのか。憲法学者たちの議論に任せるのでなくて、もっと広がりを持って議論ができる気がするんです。たとえば竹内好は、「捨てられた憲法を救え」と言うんですよね。憲法というのは最初はピカピカして、まぶしくて、他人事だった。自分には関係がない。でもそれが安保の時にさんざん捨てられたから、じゃ拾おう、自分たちのものに今度こそしよう、そういうセンスで語っているんですね。本当に私たちは、憲法をどこまで自分たちのものにできているのか。竹内とともに、やっぱりこれも考えなければいけない。そうすることで、もう一度、国体と天皇について議論ができるのかなと、そんな印象を持ちました

**末木**　岳志さん、若松さんからも、補足していただけますでしょうか。

**岳志**　僕は、近代日本に刺さっている天皇という問題、それをどういうふうに相対化するのかが非常に重要だと考えます。何が刺さっているのかというと、民主と天皇という問題が一番大きいと思うんですね。日本において平等という観念は、天皇の超越性のもとで確立されたものであるということです。これが「一君万民」という発想の中にあったもので、それは非常にトリッキーなかたちで日本という国の国民国家化に寄与したわけです。封建社会を打倒し、みんなが平等な人間であるという観念をもたらした非常にアクロバティックな論理だったと思うんですけれども、それはつねに天皇という超越性のもとに担保されたものである。であるが故に大正期から昭和期にかけて、最も差別されている人たちが天皇主義を掲げるという問題が繰り返し出てくるわけです。部落解放同盟や、あるいは在日コリアンの人たちの中で、その一部の人が「俺たちに権利をよこせ。なぜならば俺たちは天皇の臣民なんだ」と言う、その叫び声。あるいは沖縄の人たちが天皇主義を掲げる

とか、この国の民主とか平等という観念に突き刺さった天皇という問題をどういうふうに、もう一度考えるのか。

大正・昭和期に入ってくると、天皇というものが一種の救済の論理になってくるわけです。明治の終わりから大正期にかけて、「政治の問題なんて関心ない」と言っていた煩悶青年たちが、何故に一転して大川周明や北一輝のような超国家主義者になっていくのかというと、天皇こそが救済だったからですよね。本当ならば「一君万民」の国体がある。なのに私はなぜ苦しいのか。天皇と国民の間に入っている君側の奸たちがいるからだ、こいつらをやっつければ、国体というものの中に苦しみは回収され、私の苦悩というものから私自身が解放されるのだ。これが五・一五や二・二六事件の根本にあった構造の一つです。

この救済の論理と民主の論理という非常にナイーブなところに、天皇というものが突き刺さっている、ここをどういうふうに整理し直すのか、まだ残された問題としてあるわけです。

**若松** 私自身が天皇の存在のことを考える時には、自らの心情と内心の感覚を抜きにして考えることができません。自分がキリスト者だというアイデンティティがあると同時に、天皇に対するある畏怖の感覚が、とても強くあります。さらにいうと、この心情が湧き出でる場所と、いま世のなかで行われているような憲法論議や天皇制論議とは、あまり関連がないのです。仮に天皇制が変わろうとも、あるいは憲法の解釈が変わったとしても、自分の中にある畏怖はやっぱり残るのではないかと思います。それは社会的なものとは少し別なものである実感があります。

きょうは死者と生者の問題を考えてきました。その中で天皇という存在が、生者と神々の間に立つ者でもあることは見えてきたのではないでしょうか。それを全部、生者の文法で理解していこうとするところに、大きな危険をはらんでいる気がするのです。生者の論理で考えていくと、とても大事なものが指の間からすり抜けていくような感じが残る。ですので、あまり世界を生者的にしないことが、天皇の問題を考える時にも重要ではないかと思っています。

## 哲学と宗教の再興に向けて

**末木**　それでは最後に、現時点に立ったところで、みなさんそれぞれ一番いま大事と思われること、人文学の比重がどんどん落ちてしまうような状況の中で、哲学や宗教をどうやって再興していくかという問題になると思うんですが、それと死者と霊性の問題がどうかかわってくるのか。これからの課題についてのお話をうかがうことで、締めくくりにしたいと思います。

私は思想史、宗教史をやっていますが、このところずっと考えているのは、幕末のことでして、特に平田派の系統です。そこでは霊魂論、死者の行方が大きな問題になっています。それまで死者というのは、地下の黄泉へ行って自分たちとは関係なくなると考えられていたのを、そうではない、この世界に死者はいるんだ、死者と生者が実は共存しているんだという、まったく革命的な考えを持ち出すんですね。これは篤胤門下でも大きいテーマになっていまして、したがって幕末神道の中核的な問題は、天皇論ではなくて、むしろ死者論であった。私がすこし手がけている六人部《むとべ》是香《よしか》*なども、すごく面白い説を提示しているのです。ところが明治になって、そういう議論が全部潰されてしまう。表立っての議論ができなくなってしまう。それが別のかたちで、さきほどのお話のように明治の後半ぐらいにまた浮上するんですが、幕末で展開していた神道系の議論は、その中には入り込めないのですね。

きょうは神智学のことがさかんに話題になりましたが、一九世紀の後半ぐらいに、欧米とアジアとを行き来する神智学が出てきて、その中で死者の行方の問題が大きくクローズアップされる。それとほぼ同時代に、平田派でも同じような議論がなされているわけです。平田派というと視野の狭い国家主義みたいに思われているのですが、そうではない。実はグローバルな同時代的な現象として考えなければならないと思います。そのあたりから従来の思想史というものを引っくり返してみたいと言いますか、そのような作業をもうすこしできればと、いま自分の課題としています。

まず私のほうから申し上げましたが、みなさんからもお願いします。

**隆博**　いま平田派のお話がありましたけれども、中国の議論なんかを見ていますと、「礼」というのが本当に大事なんですね。ところが近代になって、「礼」なんていうのは中国の封建制、後進性の象徴だからやめてしまえと言って、乱暴に廃止される方向に行くわけです。それはそれで近代的な国民をつくっていくのに寄与したといえるのですが、それによっていろいろなものが失われたと思います。死者を誰がどう祀るのかという、この問題が見えにくくなった気がしています。日本の場合、一九世紀末から二〇世紀初めにかけての霊魂論争では戦死者というのが浮上してきて、井上円了はそれを念頭に置いて霊魂不滅ということを言っていたわけですね。

翻ってみると、中国で死者を誰がどう祀るのかという時に、「強死」という言葉があるんですね。強制的に何かの原因で殺された人とか、不慮の死を遂げた人、これがやっぱり問題になるわけです。子孫がいない場合というのがありますね。子孫も一緒に殺されてしまった場合、どうすれば死者を祀ることができるのか。もちろん、中国の議論の中でも、血のつながりのある人が祀るのが祖先の精神が結集するのにちょうどいい、という言い方をします。「祖先の精神は私の精神である」という命題がありますから、血のつながりはあったほうがいいわけです。ところが、直面している問題はそうじゃなくて、不慮の死を遂げた、非業の死を遂げた、そういった死者をどうするのか。その時に出てきたのが、血がつながっていなくても祀るべきではないかという議論です。典型的には異姓の者を祀る。姓が違う者が祀ることができるというふうにしなければいけない。こういった議論につながっていくんです。ちゃんと祀らなければ死者に対して尊厳を返すことができない。こういった言い方をしていた。私は、ここから学ぶべきものがあると思うわけです。

死者を誰がどう祀るのかという時に、血がつながっていなくても、あるいは全然関係がなくても死者を祀るということが可能になったほうが、よりましだという気がするんですね。それが来るべき民主主義にとって、とても必要なことではないか。そんなことを思っております。

**安藤**　私の専門は文芸批評であると自己規定しておりますが、これまでやってきた主要な仕事は、折口信夫、鈴木大拙、南方熊楠など一人の表現者を主題として、その生涯と思想が交わる可能性の中心を抽出してくるというものです。時代の激動を生き抜いた一人の人物の生の軌跡を素材として、それを一冊の書物にまとめるという作業です。そのためには、まずなによりも折口信夫が書いたもの、鈴木大拙が書いたもの、南方熊楠が書いたものを読まなければなりません。そして、この「私」が書く。そのような過程であらわになるのは、読み、そして書くということは、まさに死者との共同作業なんだということです。「私」に読まれている折口や大拙や熊楠は、おそらく生身の折口や大拙や熊楠とはまったく異なっているでしょう。分身にして鏡像のような存在しか描き出すことはできません。そのような形でしか、この「私」は、すでに死者となってしまった折口や大拙や熊楠の生とは触れ合えないからです。同時にまた、折口や大拙や熊楠を書くことによって、彼らの導きによって、「私」はそれまでの「私」とは異なった地平に出ることが可能になる。批評という表現の場では、現実の生者である「私」が虚構（フィクション）としての死者となり、現実の死者である折口や大拙や熊楠が虚構の生者となる。「私」は死者とともに生きている。「私」は死者とともに変身し続けている。「私」は折口信夫とともに、鈴木大拙とともに、南方熊楠とともに読み、そして書いている。つまり、批評という営みそのものが、死者との共同作業だったわけです。そこで明らかになることとは、一体何だったのか。表現とは死者とともになされるものであり、そのことによって過去にも未来にもひらかれている、ということです。我々は死者とともに、あるいは他者とともに生きている。それは過去の記憶とともに、さらには未来の子どもたちとともに生きることでもあり、そのことによって新たな表現を創り出している。これも考えてみれば、まったく当たり前のことです。しかし、私にとって人文諸科学の実践、文学の実践とは、そのような営為に尽きるのではないかと考えています。それをさらに突き詰めていきたいと思っています。

**岳志**　僕は政治学をやっていて、ニュース番組に出たりしていたものですから、新聞記者の方から頻繁に、いまの民主主義をどうやったら立て直せますか、という質問をよくされるんですね。その時に僕は、仏事を立て直すことだと、言ってきたんです。葬式とか三回忌とか、そういった仏事を立て直すことだと言うと、政治記者の方はみんなキョトンとして、「は?」という顔をされるんです。僕にとっては大真面目で、それこそが立憲主義を立て直す、民主主義の根本にある問題だと思うんですが、世の中ではそうかんたんには通じない話になってしまっている。かつ、政治学者がそんな話をすると、いつから宗教学者になったんだと、そういうふうに言われてしまう。僕なりにそこは強い確信があるんですが、とにかくそういう話をハードルなくできるこういう場があって、とても嬉しいです。僕自身、三・一一の時から死者という問題を考え始めたんですけれども、その時に末木さんの本も読みましたし、あるいは田辺元とか上原専禄のものを読んだんですけれども、三・一一の直後に、若松さんと安藤さんが東京で、お二人でトークイベントをやるというので、これはいま会っておかないといけない人たちだと思って、チケットを買って札幌から行ったんですね。その一〇年後ぐらいに、こういうコミュニティがあって、きょうのような話をさせていただいたのは、とてもありがたいと思いました。

やはり僕は、さきほど隆博さんもおっしゃった、死者を誰が祀るのかという問題が本当に問われていると思うんです。柳田の問いは非常に重要だけれども、しかし柳田が見ていた家制度というものに僕たちは固執するわけにはいかない。「何々家の墓」というもの自体が近代の創造物であって、明治民法と密着していることが言われています。それ以前に、日本の墓制において、ああいうお墓の形態というのはなかった。とするならば、この一〇〇年の墓制、つくられた伝統というものが崩壊の危機といいますか、瓦解していると見たほうがいい。僕たちは、「何々家の墓」という形態を守るのではなくて、柳田が『先祖の話』で唱えた死者と私たちの関係性というものを守るために何をリニューアルしていくべきなのか。エドマンド・バークはリフォーム・トゥ・コンサーブということを言いました。大切なものを守るためには変わっていかなければいけない、という言い方をしましたが、死者との関係を守るために何を変えないといけないのか。いまは墓制の大転換の時期だと思います。亡くなる時に夫の家の墓に入りたいと思う女性は少なくなっていると思うんですね。そうではない墓制のあり方というものを、どういうふうにすればいいのか。あるいは家族の形態だって、非常に多様化している中で、死者という問題をどういうふうに継承できるのか。実際のところ、お寺のご住職とかそういった人たちは主体的に取り組まなければいけないわけです。実践的にあるいは哲学的に追求していくことが、とても重要であると思います。そして、その営みが、民主主義の課題と直結していると思っています。

**若松**　「死者と霊性」の問題が、両方とも語り得ないものであるという認識は、共通していたと思うのです。ただ、それらは語り得ないものだけれども、「浮かび上がらせる」ことはできるのではないかと、ずっと考えています。語ろうとすると逆に、それを矮小化したり、あるいは制限したり、あるいはいびつにしたりすることがあるかもしれない。私たちが何かそうではない別の方法をとることで、そのものが顕現してくることがあり得るのではないかと考えています。

もう一つは、死者や霊性を概念としてではなくて実在として認識していくことがとても重要だと感じています。実在というのはそれを可視的にすることではありません。それはかたちを変えた死者の物質化です。

死者でなくても、愛という問題もそうです。愛は実在ですが、ある意味で感覚を超えたものです。それを概念化したとき死物になる。死者も霊性も似ていて、これが死者です、これが霊性ですというようなものではない。

隆博さんが「実践」という言葉をおっしゃっていましたけれども、叡知の実践がどういうふうに行われるのか、今後とても大事な問題だと思っています。「民藝」というのは浮かび上がってくる「美」の異名だと思うんですけれども、私たちはそろそろ、言葉を用いるだけではなくて、別のかたちで何かを顕現させていくような叡知のあり方を考えていくべきではないかと思っています。

**末木**　どうもありがとうございました。実に丸一日にわたる座談会でありまして、私としてもすごく贅沢な時間でして、人生の最良の日みたいな思いがしています。きょうの議論が広く読まれて、またそれが現在だけではなくて、この先の世界を生きる、それこそ未来の世代に伝わっていくことを願っております。本当にありがとうございました。

## ＊ノート

ホセ・カサノヴァ（José V. Casanova）　一九五一―。アメリカの宗教社会学者。ジョージタウン大学社会学部教授、バークレー「宗教・平和・世界情勢」研究センター上級研究員。著作の邦訳に、『近代世界の公共宗教』（津城寛文訳、玉川大学出版部、一九九七年）がある。

藤井武　一八八八―一九三〇。無教会キリスト者。東京帝国大学在学中に、内村鑑三の聖書研究会に所属。卒業後は官僚となるも、後に内村の助手となり、一九二〇年に独立、以後伝道生活に入る。

バハーイー教　一九世紀前半、イスラーム改革を唱える新興宗派のバーブ教から派生した宗教。バーブ教の教祖セイエド・アリー・ムハンマドは宗教改革運動を起こしたが、処刑された。その弟子ミールザー・ホセイン・アリー(一八一七―九二)はバグダッドにのがれて、バハー・アッラー(神が現わし給う者)と称して新教団を創設した。人類の平和と統一、男女平等、教育の普及、科学と宗教の調和、貧富の差の排除などを主張し、イラン、インド、欧米などに多くの信徒を獲得している。

高山岩男　一九〇五―九三。哲学者。京都帝国大学にて哲学を学び、田辺元に深い影響を受ける。一九三八年京都帝国大学助教授、四五年教授に就任。同年、八月に退官。

高坂正顕　一九〇〇―六九。哲学者。京都帝国大学にて哲学を学び、カント哲学を専攻した。一九四〇年、京都帝国大学教授に就任。四一年、京都帝国大学人文科学研究所所長。戦後は公職追放を受ける。

西谷啓治　一九〇〇―九〇。哲学者。京都帝国大学にて哲学を学び、西田幾多郎に師事した。宗教哲学を専攻。一九四三年、京都帝国大学教授に就任。戦後に公職追放を受けるも、解除後、京都大学に復帰。

鈴木成高　一九〇七―八八。西洋史学者。京都帝国大学にて西洋史を学び、西洋中世史を専攻した。一九四二年、京都帝国大学助教授に就任。後に早稲田大学教授。

紅卍字会　中国の新興宗教である道院による慈善活動団体。一九一六年頃に山東省で興った道院は、儒、仏、道、キリスト教、イスラム教の五教同源を説き、二〇年代に中国全土に広まった。二二年に紅卍字会を設立して、貧民救済、施薬施療、学校経営などの事業を行った。

内田良平　一八七四―一九三七。国粋主義者。三国干渉後、対露強硬論を主張。一九〇一年、黒龍会を創設。赤化防止、デモクラシー反対を主張。三一年、大日本生産党を創設して、総裁に就任。

六人部是香　一七九八(一説に一八〇六)―六三。幕末の国学者。山城国向日神社の神官。平田篤胤に入門。幽冥論

にムスビの思想とウブスナ崇拝とを融合させて、独自の世界観を展開した。著作に『顕幽順考論』『産須那社古伝抄広義』など。

# 死者のビオス

中島岳志

## 1　コロナとアガンベン

コロナ危機の中で、最も注目を集めた思想家は、ジョルジョ・アガンベンだろう。彼は母国のイタリアがパンデミックに見舞われ、都市のロックダウンなどの緊急措置が実行されると、「熱に浮かされた、非合理的な、まったくいわれのないものである」と批判した〔アガンベン二〇二一：一九〕。彼は、パニックの拡大によって例外状態が正当化され、自由の制限がセキュリティへの欲望のもとに容認されていく状況に危機意識を強めた。

このような環境下では、全市民が「潜在的なペスト塗り」「潜在的なテロリスト」と見なされる。「私たちの隣人なるものは廃止され」、人間交際そのものが否定的に扱われる〔アガンベン二〇二一：二九―三〇〕。

この措置のうちに暗に含まれている自由の制限よりも悲しいのは、この措置によって人間関係の零落が生み出されうるということである。それが誰であろうと、大切な人であろうとも、その人には近づいても触ってもならず、その人と私たちのあいだには距離を置かなければならない

［アガンベン二〇二一：三〇］

アガンベンは、古典古代のギリシアを継承し、「ゾーエー」と「ビオス」を区別する。「ゾーエー」は生物・動物として生きていることそのものを意味するが、「ビオス」は社会的政治的生を意味し、ポリスを担う市民の活動が重視される。アガンベンが問題視したのは、パンデミック下において「剝き出しの生」としての「ゾーエー」ばかりが重視され、人間の「ビオス」の次元が軽視されたことである。「自分の生が純然たる生物学的なありかたへと縮減され、社会的・政治的な次元のみならず、人間的・情愛的な次元のすべてを失っ」ている事態こそが、真の危機に他ならない［アガンベン二〇二一：三八］。

アガンベンは、「ビオス」なき「ゾーエー」と化した典型が、パンデミック下で命を落とした死者たちの存在であると論じる。コロナ感染者は隔離を余儀なくされ、死の直前になっても、家族は面会を許されない。さらに、遺体を目にすることも触れることもできず、別離の儀礼すら行うことができない。「この国はいまエピデミックによって、死者に対する敬意さえもはやない倫理的混乱

のなかへと投げこまれている」［アガンベン二〇二一：三五］

死者――私たちの死者――は葬儀を執りおこなわれる権利がないし、愛しい人の死骸がどうなるのかはっきりしない。私たちの隣人なるものは抹消された。

［アガンベン二〇二一：三七］

アガンベンにとって、死者は「ゾーエー」を失っても、「ビオス」の次元において生きている。私たち生者は、「隣人」が亡くなった後も、その人と対話や交流を続ける。死者は存在しないのではない。死者として存在しているのだ。パンデミック下における隔離やトリアージによる死は、この死者のビオスを希薄化させる。死者もその隣人たちも、死のプロセスが暴力的に割愛されたことで、「あいまいな喪失」（ポーリン・ボス）に直面する。時間が凍結し、死者との関係構築が困難になる。

## 2　岡江久美子の死

二〇二〇年四月二三日、女優の岡江久美子が亡くなった。新型コロナウイルス感染による肺炎が死因だった。

岡江は四月三日に定期検査のために検査専門のクリニックを受診したところ、CT検査によって肺に影が見つかり、コロナウイルス感染が疑われた。しかし、この時は発熱がなく、医者からは四、五日様子を見るように指示された。帰宅後、微熱が出始め、翌日には事務所関係者に電話で「咳が出る」と話したが、自宅で静養を続けた。当時、厚生労働省が公表していた医者への受診の目安は「三七・五度以上の発熱が四日以上続く方」とされており、必要な検査や診察が受けにくいことが問題視されていた。岡江は、この要請に従い、自宅待機を続けた。その結果、六日の朝に容態が急変する。東京都内の大学病院に緊急搬送されることになり、自宅を後にした。このときは何とか会話ができる状態で、入院直後も家族とLINEでやりとりを続けていたが、集中治療室に入り人工呼吸器を装着してからは、一切連絡がとれなくなった。八日には、PCR検査の結果、陽性と判明。容態は回復に向かうことなく、二三日午前五時二〇分、死亡した。家族・関係者は臨終に立ち会えず。死後、夫の大和田のみ特例でガラス越しに顔を見ることが許可されたという。

私は岡江の死のニュースをテレビで見て、大きなショックを受けた。コロナ危機の中、最も精神的に厳しかったのが、この時だった。

生前の岡江と会ったことはない。接点は全くなく、ただ一方的に、朝の情報番組を見ていたにすぎない。特にファンであったわけでもない。なのに、岡江の死は、私の心に大きな衝撃を与えた。

おそらく無意識のうちに、テレビに映る岡江の人柄から、安心感を得ていたのだろう。平穏な日常に、その笑顔が溶け込んでいたのだろう。岡江がいなくなって、はじめてそのことに気づかされたのだ。そして、何気ない大切な日常が奪われていることを、あらためて思い知らされた。

一生、忘れることができないだろう光景がある。それは、岡江が遺骨となって自宅に戻ってきたときの映像だ。夫の大和田獏が、マスク姿で白い袋に包まれた箱を持っていた。本来の死のプロセスが省略されたことで、岡江は唐突に遺骨となって届けられた。大和田は、遺骨の入った箱をしっかりと胸に押し当てていた。彼は、亡き妻を抱きしめるしかなかったのだと思う。

一年後の命日には、「スマイル！　岡江フェスティバル――音楽とともに」がライブ配信され、遺族と共に関係者が生前の岡江を偲んだ。娘の大和田美帆は、このイベントに際して、「#死に方より生き方を覚えててほしい」とツイートしている。この言葉は、岡江の死を空白から救い出し、死者の「ビオス」を回復させようとする声のように思う。

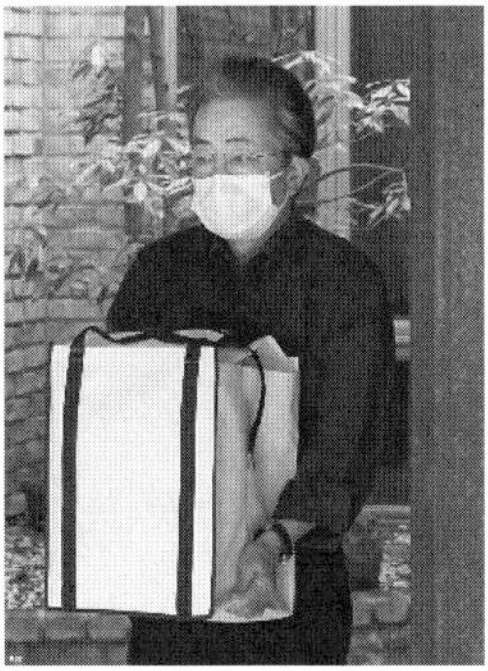

遺骨を抱く大和田獏氏
（共同通信社提供）

岡江の死のプロセスは、コロナ感染者の死が「ビオス」の次元を希薄化させる苦辛を可視化させた。しかし、この問題はパンデミック特有の現象と見ることはできないだろう。世の中では孤独死が拡大し、遺体の引き取り手がないケースも増加している。四十九日や三回忌などの仏事が形骸化する中、死者との協同性を確認する場が希薄化している。死者は「ゾーエー」の喪失だけでなく、「ビオス」も喪失することで、世界から抹消されていく。私たちは生者しか存在しない社会に投げ出され、過去から孤立していく。一九二九年に『大衆の反逆』を著わしたホセ・オルテガは、現代社会が死者との関係性を喪失することで、暴走しやすい大衆社会を生み出していると指摘している。

われわれ現代の人間は、突然、地上にただひとり残されたと、つまり死者たちは死んだふりをしているのではなく、完全に死んでいるのだ、もうわれわれを助けてはくれない、と感ずる。伝統的な精神は蒸発してしまった。手本とか規範とか規準はわれわれの役にたたない。過去の積極的な協同なしに、われわれは自分の問題――芸術であれ、科学であれ、政治であれ――を、まさに現代の時点で解決しなければならない。すぐ隣に生きている死者もなく、ヨーロッパ人は孤独である。

［オルテガ二〇〇二：三七］

私たちは、いかにすれば死者たちとの関係を回復することができるのか。死者のビオスと交わるには、何が必要なのか。

## 3　柳田國男『先祖の話』

民俗学者の柳田國男は、終戦間際の一九四五年四月から五月にかけて『先祖の話』を執筆し、終戦後の翌四六年、出版した。ここで柳田は、日本各地で受け継がれてきた死者供養・祖霊祭祀を記述することで、「常民の常識」を明らかにしようとしている。

彼は、ひとりの老人との会話を紹介している。その老人は、南多摩の丘陵地帯に住み、大工と材木取引を生業とした。生まれは新潟。若き日に長野で大工仕事を覚え、東京で稼ぎ、南多摩に落ち着いた。田舎から母を呼び寄せて安らかに見送り、子どものための財産も築いて老人の域に入った。あとは死を待つだけ。そのような時に、柳田と出会った。

老人は、柳田に対して「しきりに御先祖になるつもりだということをいった」。柳田は好感を抱き、「古風な、しかも穏健な心がけである」と感心している［柳田一九九〇：二二］。

「未来の私」は、次の子孫にとっての先祖となり、家の安泰を支える重要な役割を担う。そのため、「現在の私」は先祖に対する供養と謝恩を繰り返すと同時に、死後に「先祖となること」を意識しながら生きる。「現在の私」の目標は、今を生きることにだけあるのではなく、死後に先祖となって家を守って行くことにも向けられる。

柳田は言う。

人間があの世に入ってから後に、いかに長らえまた働くかということについて、かなり確実なる常識を養われていた。

〔柳田一九九〇：一六七〕

この老人は、死後にも仕事がある。しかし、その仕事を果たすためには、よき御先祖にならなければならない。子孫にとって規範となるような生き方をしなければ、御先祖としての役割を果たすことができない。

彼にとって、先祖を供養し、現在を立派に生きることが、未来の他者との対話につながっている。死者となった先祖との協同生活が、自らの未来での臨在に直結している。死者とともに生きることは、過去に縛られて生きることだけではなく、死後の未来社会との共生へと開かれている。

柳田にとって、国家とは今を生きる人間だけの専有物ではない。国土は、死者となった先人たちが積み重ねてきた営為や経験によって構成され、未来の国民と共有するものである。生者の多数派が、自分たちの利益だけを考えて都合よく利用してよいものではない。

彼は、一九一〇年に出版された『時代ト農政』で、次のように述べている。

国民の二分の一プラス一人の説はすなわち多数説でありますけれども、我々は他の二分の一マイナス一人の利益を顧みぬというわけには行かぬのみならず、かりに万人が万人ながら同一希望をもちましても、国家の生命は永遠でありますから、あらかじめいまだ生まれて来ぬ数千億万人の利益をも考えねばなりませぬ。いわんや我々はすでに、土に帰したる数千億万の同胞を持っておりまして、その精霊もまた国運発展の事業の上に無限の利害の感を抱いているのであります。ゆえにいやしくも一方の任を委ねられたる理事者は、公平なる眼をもって十分誠実にこの農業経済の問題を研究し、かつさらに他人を導かねばならぬのであります。

［柳田一九九一：四〇］

私たちは死者の精霊の声を聴きながら、未来に向けて生きている。ポール・ヴァレリーは「湖に浮かべたボートを漕ぐように人は後ろ向きで未来へ入っていく」と述べているが、私たちは死者の経験値を受け取ることによってこそ、未来に開かれている。

## 4　利他の構造

私たちは、自らの行為の結果を所有することができない。いかに他者のためを思って行った行為であっても、それが他者を苦しめる結果になることがある。あるいは、偶然行った行為が、全く意図しない形で他者を支えることもある。私たちの行為が利他的であるか否かは、不確かな未来によって規定されている。利他は常に事後的なものであり、私たちは利他を所有しコントロールすることはできない。利他はいつも未来からやって来る。

一方、私たちの「今」は、過去の未来である。私たちは死者の未来に生きている。現在を生きる者は、過去になされた行為の受け手である。死者たちの行為が利他的であるか否かは、死者の未来に生きる我々の受け取り方にゆだねられている。

私たちは利他的行為を行うことができない。しかし、利他のよき受け手になることはできる。死者の行為の受け手になることで、死者を贈与の送り主にすることができるのだ。

『世界は贈与でできている』の著者・近内悠太は、贈与の起点を「被贈与の気づき」に置いている[近内二〇二〇：四二]。贈与や利他は、与えることではなく、受け取ることによって起動する。私たちができることは、よい受け手になることであり、そのことを通じて贈与のサイクルに参与することができる。

近内は言う。

贈与は、差出人にとっては受け渡しが未来時制であり、受取人にとっては受け取りが過去時制になる。

贈与は未来にあると同時に過去にある。［近内二〇二〇：一一二］

歴史の中に身を置くということは、死者によってなされた行為の受け手になることに他ならない。近内の言葉を借りれば、「手紙」はすでに届いている［近内二〇二〇：一一七―一一八］。重要なのは、その手紙に気づき、開封すること。そこに書かれたメッセージを大切に受け止め、自らの生き方に反映していくこと。この時、死者は贈与の送り主となり、利他の主体となる。

私たちは、死者の行為を受け止めることで利他の受け手となり、未来の他者が行為の受け手となることで、利他の送り主になる。この遡行する前進こそ、利他の時制に他ならない。

## 5　死者の立憲主義

柳田國男は最晩年の講演「日本民俗学の頽廃を悲しむ」の中で、「憲法の芽を生やせられないか」と述べている。この講演は一九六〇年のものであり、ここでいう「憲法」とは、戦後の日本国憲法である。

柳田は、次のようにも言っている。

単刀直入にいうが、今日流行の民俗学は奇談・珍談に走り過ぎる。平和の中にあるのがいい。思い出せば、ああそんなことだったのか、それでいい。［柳田二〇二〇：三四〇］

柳田は、戦後憲法を死者たちの経験値の静かな集積と見なし、その「芽を生や」すことに希望を見出した。彼は憲法の受け手となることを、民俗学の課題と考え、その実践を未来の日本人に託した。

戦後の日本人は、憲法の受け手としての役割を果たしてきたと言えるだろうか。確かに、日本国憲法は、今のところ一言一句、変更されていない。戦後左派を中心に、憲法改正に対する反対運動は根強く、改憲勢力の伸長を抑えている。その意味で、憲法は守られている。

しかし、憲法の文言が守られながらも、立憲主義が空洞化するという事態が進行している。二〇一五年に起きた安保法制をめぐる騒動は、為政者が憲法解釈を都合よく変更することで、文言の骨抜きを進めるあり方を表面化させた。当時の安倍晋三首相は、自公政権が選挙で多数派の支持を得ていることを根拠に、集団的自衛権に道を開く法制度を整えた。

「民主」と「立憲」は、根本原理として対立を含んでいる。「民主」の原理は、最終判断を生きている人間の多数決にゆだねる。一方、「立憲」は、いかに多数派が支持した内容でも、憲法に反する場合には、それを拒絶する。仮に多数派が「言論の自由の制限」を要求しても、立憲主義は憲法二一条一項の文言(「集会、結社及び言論、出版その他一切の表現の自由は、これを保障する」)をもって、これを退ける。

この「民主」と「立憲」の緊張関係は、主語の対立に起因している。「民主」の主体は、生者である。投票権を持っているのは生きている人間に限定されるため、多数派の構成員は、すべて生者である。一方、「立憲」の主体は、その大半が死者である。憲法は、長い人類の歴史の中で積み重ねられてきた失敗の経験が反映されたものである。「表現の自由」を保障する文言は、「表現の自由」が制限されたときに味わった先人たちの苦い経験によって構成されている。憲法の主語は死者であり、死者が関与する政治体制こそが立憲民主主義なのである。

立憲民主主義とは、死者に制約されたデモクラシーである。「死者を含む民主主義」と言い換えてもいい。

立憲主義のあり方を見事に表現しているのが憲法九七条である。

この憲法が日本国民に保障する基本的人権は、人類の多年にわたる自由獲得の努力の成果であつて、これらの権利は、過去幾多の試錬に堪へ、現在及び将来の国民に対し、侵すことのできない永久の権利として信託されたものである。

憲法で規定された基本的人権は、「人類の多年にわたる自由獲得の努力の成果」であり、「過去幾多の試練に耐へ」て継承されてきたものである。基本的人権は、現在と未来の国民に対して、死者から信託されたものである。

憲法の受け手になることは、死者からの信託を引き受けることであり、そのことを通じて、死者たちを利他の主体へと押し上げることに他ならない。憲法を守ることは、憲法の文言を変えないことと同義ではない。文言の背後にある死者の経験値を継承し、時に微調整を加えることが、憲法を守ることにつながる。立憲主義とは、通俗的な「護憲」ではなく、憲法のあり方や精神を保守することである。

私たちは、憲法の受け手となることで、死者のビオスと交わることができる。言い換えれば、死者のビオスと交わることによってこそ、私たちは真に立憲民主主義の主体になることができるのである。

## 【引用文献】

アガンベン、ジョルジョ　二〇二一『私たちはどこにいるのか？――政治としてのエピデミック』高桑和巳訳、青土

社
オルテガ、ホセ　二〇〇二『大衆の反逆』寺田和夫訳、中公クラシックス
近内悠太　二〇二〇『世界は贈与でできている――資本主義の「すきま」を埋める倫理学』NewsPicks パブリッシング
柳田國男　一九九〇『柳田國男全集一三』ちくま文庫
――　一九九一『柳田國男全集二九』ちくま文庫
――　二〇二〇『柳田國男　民主主義論集』大塚英志編、平凡社ライブラリー

# 死者と霊性の哲学

## ――西田幾多郎における叡知的源流

若松英輔

自己が一旦極度の不幸にでも陥った場合、自己の心の奥底から、いわゆる宗教心なるものの湧《わ》き上るのを感ぜないものはないであろう。宗教は心霊上の事実である。哲学者が自己の体系の上から宗教を捏《ねつ》造《ぞう》すべきではない。哲学者はこの心霊上の事実を説明せなければならない。

（西田幾多郎「場所的論理と宗教的世界観」）

西田幾多郎（一八七〇―一九四五）の生涯は、近親者の死とともにあった。襲い来る死のなかで彼の哲学は生まれ、育まれていった。若くして姉が病死、弟が日露戦争で戦死、六人の娘のうち四人（長女、次女、四女、五女）、長男も病死している。妻は長く患ったあと亡くなっている。西田にとって哲学とは、世界をどう認識するかに留まらない営みだった。それは真の意味における「人情」、人の情《こころ》のありようを詳らかにすることにほかならなかった。

ゲーテがその子を失った時 “Over the dead”〈死を超えて：引用者注、以下同〉というて仕事を続けたというが、ゲーテにしてこの語をなした心の中には、固《もと》より仰ぐべき偉大なるものがあったでもあろう。しかし人間の仕事は人情ということを離れて外に目的があるのではない、学問も事業も究竟《くっきょう》の目的は人情のためにするのである。

（「我が子の死」『西田幾多郎随筆集』）

先の一文が書かれたのは一九〇七年、『善の研究』の刊行は四年後のことである。西田の哲学にはさまざまな格闘があるが、その一つに哲学の日本語を発見、あるいは創案するという試みがあった。西田にとって哲学とは、対象との関係を論じるだけでなく、言葉を発見し、意味を深め、新たに刻印していくことだった。当時からすでに、西田が考えていたことを十全に表現する日本語が存在していたなら、彼の名前が歴史に刻まれることはなかったかもしれない。

先の一節にあった人情はいわゆる「情け」を意味するに終わらない。この一語を西田はおそらくドイツ語の Geist に近しい意味で用いている。「精神」とも「霊」とも訳すことができるこの言葉の意味するところを古い日本語のなかに探りあてようとしている。

姉妹と伴侶の死だけでなく、一度ならず我が子の死を経験しなくてはならなかった西田にどのような死生観が宿っていったのか。人間の生涯をめぐって、あるいは、この世をあとにした死者をめぐって、西田が何を語ったのかは、彼個人の問題に留まらず、近代日本における哲学がどのように形成されてきたのかの、ある重要な一側面を見ることになる。

我々の自己は絶対の自己否定において自己を有《も》つ、自己自身の死を知る所に自己自身であり、永遠に死すべく生れるのである。人はしばしば大なる生命に生きるために死ぬるという、死んで生きるという。しかし死んだものは永遠の無に入ったものである。一度死んだものは永遠に生きない。個は繰り返さない、人格は二つない。もし爾《しか》考え得るものならば、それは最初から生きたものではないのである。外的に考えられた生命である、生物的生命である。然らざれば、自己自身の人格的生命を単に理性的に考えているのである。

（「場所的論理と宗教的世界観」『自覚について　他四篇』）

「一度死んだものは永遠に生きない」と考える者は、人間の存在を「生物的生命」からなる者としか見ていない。あるいは「人格的生命を単に理性的に」捉えているに過ぎない。西田にとって哲学的営為とは、彼のいう「生物的生命」はもちろん、「人格的生命」を直に経験することだった。それを自己だけでなく、他者において、さらには歴史において実感することだった。

＊

一八八三年、一三歳になる年、西田は姉と共にチフスを病む。このとき姉が逝く。九五年、西田は結婚、一九〇四年、弟憑次郎《ひょうじろう》が日露戦争で戦死、〇七年には次女幽子（享年五歳）、同じ年五女愛子を生後一ヶ月で亡くしている。

『善の研究』の刊行は一九一一年だった。前年、彼は京都大学文科大学の助教授になっている。一九年、妻寿美《ことみ》が脳出血で倒れ、以後、妻は病床での生活が始まる。二〇年に長男謙が死去、二三歳だった。二五年には妻が亡くなる。一九四一年、「大東亜戦争」が始まった年、四女友子が三三歳で死去、四五年長女弥生が四九歳で逝き、同じ年、西田もまた、七五歳で亡くなっている。

弟憑次郎の死を悼み記された「余の弟西田憑次郎を憶《おも》う」は「今や加越能《かえつのう》三洲〈現在の石川県と富山県〉の民その友を失いその骨肉を失うて思〔おもい〕を某地の空に馳《は》する者は幾千人であるかも知れない。しかして余も実にその一人である」との一節から始まる。このとき西田が、悲しみによって他者との関係を確かめているのは注目してよい。悲嘆という経験は、深く自己とつながるだけでなく、他者とのそれを改めて認識することになる。平生は誰も自分の生を生きるのに忙しく、他者と不可分に存在する生のありようを見過ごしている。耐えがたい悲しみが、かえってそれを照らし出す、というのである。また西田は、この追悼文で、幼い頃に経験した姉の死をめぐっても語り始める。

余が始めて骨肉の死ということを実験したのは余が十三、四歳の頃、余が姉の病死せし時であった。余はこの時始めて人間の死がいかに悲しき者なるかを知り、人なき所に至りて独涙《ひとり》を垂れ幼き心にももし余が姉に代りて死し得るものならばと心から思ったこともあった。今度余の弟の死は余をしてまた当時の感を新《あらた》にせしめたのである。

（「余の弟西田憑次郎を憶う」『西田幾多郎随筆集』）

なぜ自分ではなく、姉が亡くならねばならなかったのか。この問いに解答を準備できる者など存在しないことは西田も分かっている。しかし、人が真に問わねばならない問題はいつも、こうして答えの彼方からやってくる。それは冒頭に引いた西田の最晩年の論考にあった「心霊上の事実」として経験される。

死には人称がある。一人称である我の死、これを経験した者はこの世に存在しない。しかし、誰もが必ず経験する。近しいと感じる者の死、これが二人称の死である。それは必ずしも肉親とは限らない。師友、あるいは実際に会わずとも私淑する人の死も含まれる。そして、人間の死、あるいは今日も世界では誰かが亡くなっている、というときの死を三人称の死と呼ぶ。さらに、すでに亡き者にとっての死を改めて考えるときそこに私たちは四人称の死というべきものを経験する。西田の哲学は、こうしたさまざまな異なる人称の死によって培われてきた。

憑次郎の死から三年後、一九〇七年に西田は先に見た「我が子の死」と題する随想を書いた。そこで西田は、同じ二人称の死でありながら姉、弟の死とも異なる経験を吐露する。愛する者の死を前に自らに迫ってくるのは、「誠」とは何か、「至誠」とは何かを問わずにいられない経験だったという。さらに、人生を決定する大事は、言葉によって表象することはできないというのである。

誠というものは言語に表わし得べきものでない、言語に表し得べきものは凡《すべ》て浅薄である、虚偽である、至誠は相見て相言う能《あた》わざる所に存するのである。我らの相対して相言う能わざりし所に、言語はおろか、涙にも現わすことのできない深き同情の流が心の底から底へと通うていたのである。

(『西田幾多郎随筆集』)

哲学は、言葉によって存在世界の公理を明らかにしようとする試みである。「絶対矛盾的自己同一」とのちに彼がいうように、たとえそれが、従来の論理を超えていこうとするものであったとしても、哲学者は言葉によって表現することを手放すことはない。だが西田は、その出発点において「言語に表し得べきものは凡《すべ》て浅薄である」ことを経験する。「虚偽である」とまで書く。そして、「至誠は相見て相言う能《あた》わざる所に存する」と続ける。

この一文からでは「至誠」という言葉に、西田がどこで出会ったのかは分からない。しかし西田の漢文の造詣は深い。むしろ、彼の読書経験は漢籍から始まった。彼は漢文を読むことに通じていただけではない。それを書くことにおいても問題を感じなかった。

ある一文(「ギリシャ語」)では古代ギリシアの古典をめぐって、『春秋』『左伝』に言及し、また、「読書」と題する随筆には「昔祖父が読んだという四箱か五箱ばかりの漢文の書物を見るのが好《すき》であった。無論それが分ろうはずはない。ただ大きな厳《いかめ》しい字の書物を披《ひら》いて見て、その中に何だかえらいことが書いてあるように思われたのであった。それで私の読書というのは覗《のぞ》いて見るということかも知れない」(『西田幾多郎随筆集』)と書いている。漢籍とのふれあいは西田の読書法の基軸にすらなっている。

別な一文(「吾妻鏡」)では、この祖父母の家で江戸時代の儒学者荻生徂徠の『政談』を読んだことにもふれている。徂徠と時代を同じくした儒学者伊藤仁斎が暮らした古義堂を訪ねたことをめぐる文章(「古義堂を訪《おとな》う記」)では、仁斎が古義学を、そして荻生徂徠が古文辞学を打ち立てた試みは、近代日本哲学の樹立と無関係ではないという。西田というと西洋哲学との対決、あるいは禅と浄土に代表される仏教との関係が論究されることが多いが、彼の儒学経験には別稿をもって論じるべき問題が残っている。『孟子』には「至誠」をめぐってこう記されている。

誠は天の道にして、誠を思うは人の道なり。至誠にして動かされざる者は未だこれあらざるなり。誠ならずして、未だ能く動かすものあらざるなり。

(『孟子』小林勝人訳注)

誠は天の道であり、誠は強く思う、これが人の道である。至誠を前に心動かされずにいる者はなく、また、誠あるものでなければ人の心を動かすことはできない、というのである。「誠」とは概念ではなく、ある実在である。それは人間を道に立ち返らせるはたらきであり、真の意味で人を動かすエネルギーでもある。「至誠」はその極みだと考えてよい。この一節は吉田松陰の『留魂録』にも引かれていて、知る人も多い。おそらく西田は、この言葉が『孟子』において重んじられたことを知っていただろう。

事実、「至誠」は『善の研究』を読み解く鍵語《かぎご》でもある。そこで読者は「至誠」の一語に一度ならず出会う。「自己の知を尽し情を尽した上において始めて真の人格的要求即ち至誠が現われてくる」とも記されている。「知」を尽くし、「情」を尽くしたところに「至誠」が現成する。それが西田における哲学の道だった。また、こうした筆致は、先に引いた弟と愛子を追悼する言葉にあった西田の姿を彷彿とさせる。

『善の研究』の注解をした藤田正勝は、『中庸』と『孟子』の言葉を引きながら「至誠」の文字が、金沢の四高時代に西田が行った講義の「倫理学草案」(一九〇四―〇六年)にあると指摘している。短くない講義ノートの終わり近く、「道徳の極致」の章で西田は「至誠」にふれ、次のように書いている。

それで善には種々の善あり、徳にも種々の徳があるが、我々のつとむべき途は唯一つある。即至誠の一言に尽きて居る。古来の聖賢も決して多岐の修業をなしたのでは〔なく〕、唯此の至誠を養ふたのみである。故に孔子も我一以貫之〈「我が道は一以て之を貫く」『論語』「里仁」〉といつた。陽明も唯一の良知といつたのである。

或人は至誠にて悪事をなすことなきやといふ。

（「倫理学草案」『西田幾多郎全集』第十四巻）

聖賢の道は孔子と孟子に始まる。孟子の道は、時代を超えて王陽明にまでそのまま流れ込む。ここで西田が陽明学の祖、王陽明に言及しているのは注目してよい。知られているように陽明は知行合一を説いた。それは西田の哲学の核心的主題でもあった。

先の一節にあった「至誠の一言に尽きて居る」という表現は力強い。姉と弟の死を経て確かに彼は「至誠」を経験した。しかし、我が子の死は、それすら十分でないことを彼に告げ知らせた。先に見たように自分は「至誠」ということを重んじてはいた。だが、それを全身で識《し》るには至っていなかったと感じるようになる。

一九〇七年に西田は、友人の堀維孝に宛てた書簡で、幽子の死にふれ、さらに烈しい痛切な思いを書いている。

丁度五歳頃の愛らしき盛の時にて、常に余の帰を迎えて御帰《おかえり》をいいし愛らしき顔や、余が読書の際傍に坐せし大人しき姿や、美しき唱歌の声や、さては小さき身にて重き病に苦しみし哀れなる状態や、一々明了に脳裡に浮び来りて誠に断腸の思いに堪えず候。余は今度多少人間の真味を知りたるように覚え候。小生の如き鈍き者は愛子の死というごとき悲惨の境にあらざれは真の人間というものを理解し得ずと考え候。草々
（『西田幾多郎随筆集』）

愛児の死を通じて、自分はやっと「人間」になったという。それは「至誠」の一端を把持し得たという実感の表現でもあるのだろう。西田にとって「考える」とは、「生きる」ことと同義だった。むしろ、そうした境涯に至ることが彼の切願だった。先の書簡が送られる五年前、彼がまさに禅的生活を送っていた当時の日記には、その覚悟が表れている端的な言葉がある。

学問は畢竟 life〔生〕の為なり life か第一等の事なり life なき学問は無用なり　急いて書物よむへからす
（明治三十五年二月二十四日、『西田幾多郎全集』第十七巻）

このときの西田にとってlifeは、自己の人生だったのかもしれない。しかし、幽子の死は、その実相を変えた。彼は自らの生が死者とともにあることを強く想起する。先に見た「我が子の死」で西田は、別離の悲しみがどれほど強く、烈しいものであったとしても、それを手放すようなことをしたくない、という。

時は凡《すべ》ての傷を癒やすというのは自然の恵《めぐみ》であって、一方より見れば大切なことかも知らぬが、一方より見れば人間の不人情である。何とかして忘れたくない、何か記念を残してやりたい、せめて我一生だけは思い出してやりたいというのが親の誠である。

時が悲傷を癒す。あるいはそのために死者を忘れよと世人がいう。だが、西田の願いは違った。むしろ、悲しみを何かの証しにしながら、死者とともに生きて行こうとする。さらにいえば、わが身によって、あり得た死者の生を生きたいとすら願っただろう。亡くなったが「生きている」と感じることがなければ、先のような言葉が記されることはない。

「不人情」と「非人情」は似て非なるものである。前者は人情が損なわれることだが、「非人情」は夏目漱石が『草枕』で用いた言葉で、人情のしがらみを超えて行こうとすることを指す。西田の日記には時折、漱石の作品を読み、心動かされている痕跡が残っている。

死者と生きるとは、ある意味で「非人情」な営みだといってよい。しかし、その責務、その使命を背負えるのは、当人だけであるという意味において、比類のない意味の重みを持つ。

また、死者という言葉は多義的に用いられる。災害や戦争で亡くなった人の数をいう場合もあれば、すでに存在しない人を象徴する表現になることも少なくない。だが次に引く一節で西田は、「死者」をまさに「生きている死者」の意で用いる。それは西田にとって、「死者」という言葉が一義的には「生きている死者」だったことを物語っている。

昔、君と机を並べてワシントン・アービングの『スケッチブック』を読んだ時、他の心の疵《きず》や、苦みはこれを忘れ、これを治せんことを欲するが、独り死別という心の疵は人目をさけてもこれを温め、これを抱かんことを欲するというような語があった、今まことにこの語が思い合されるのである。折にふれ物に感じて思い出すのが、せめてもの慰藉《いしゃ》である、死者に対しての心づくしである。この悲は苦痛といえば誠に苦痛であろう、しかし親はこの苦痛の去ることを欲せぬのである。（同前）

死者を忘れることは、自らの生からも乖離することにほかならない。死者を憶《おも》うこと、過去のこととして顧《おも》うのではなく、今、ここにある実在として憶うこと、それが死者への供物になる。そう西田は感じている。痛みは胸を走る。しかし、このときほど死者を近くに感じることはない。悲痛は死者が訪れる合図である、西田はそう感じていたのかもしれない。

「霊」は西田の哲学を読み解く最重要の鍵語である、そういうと人は驚くだろうか。そもそも西田にとって「心霊」とは、今日、心霊現象などというときのそれとはまったく次元を異にする。むしろ、西田にとって問題だったのは、生きている人の「心霊」だった。

これまでは西田の哲学は「純粋体験」、「行為的直観」、あるいは「場所」などによって読み解かれてきた。もちろん、これらも無視できない。しかし、「霊」はそれらに勝るとも劣らない哲学的秘義がある。西田の代名詞といってよい「絶対矛盾的自己同一」の地平に辿りつくためにも「霊」という言葉の扉を素通りすることはできない。「霊」という言葉をめぐって西田が、じつに興味深い言葉を残している。田部隆次が書いた『小泉八雲伝』に「序」を寄せた西田は、八雲ラフカディオ・ハーンの「心霊の活動」をめぐって次のように書いている。

ヘルン氏は万象の背後に心霊の活動を見るというような一種深い神秘思想を抱いた文学者であった、かれは我々の単純なる感覚や感情の奥に過去幾千年来の生の脈搏を感じたのみならず、肉体的表情の一々の上にも祖先以来幾世の霊の活動を見た。氏に従えば我々の人格は我々一代のものでなく、祖先以来幾代かの人格の複合体である、我々の肉の底には祖先以来の生命の流が波立っている、我々の肉体は無限の過去から現在に連るはてしなき心霊の柱のこなたの一端にすぎない、この肉体は無限なる心霊の群衆の物質的標徴である。

（「『小泉八雲伝』の序」『思索と体験』）

この一節は、対象を遠くから眺めて記されたものではない。そもそも西田はそうした文章を書かない。ここで述べられていることが、そのまま西田の「心霊」の存在論ではなかったとしても、それに深く共鳴するものが西田にあったことがありありと伝わってくる。ハーンが神秘家であることは論を俟たない。だが、真に神秘家を識《し》り得るのは神秘家であることを忘れてはならない。

いたずらに神秘を語る「神秘主義者」を西田は遠ざけた。「神秘的」という言葉は西田において積極的な意味を持たない。彼は大いなる謎を否定しない。そうでなければ、あれほど「神秘」を論究した鈴木大拙を生涯の友にすることはできまい。西田は、神秘に安易な帰結をもたらすような言説を嫌う。

のちにふれるが西田は、神聖な謎に向き合う態度を「宗教的」という言葉で表現する。西田がハーンに見ているのも狭義の宗教を超えた宗教性だった。

同じ一文で西田は「彼れ〈ハーン〉はメキシコ湾の雄大なる藍の色に過去幾世の楽しき夏日の碧空

を想い、熱帯の夕天を焦す深紅の光に過去幾世の火山の爆発や林火の狂燄《きょうえん》を感じ、面変りゆく我子の顔に亡き父母や祖父母の霊の私語を聞き、愛人と握手の frisson には幾世《いくよ》輪廻《りんね》の因縁を偲《しの》んだ」と述べ、ハーンの一生が死者とのつながりのなかにあったと述べつつ、こう続けている。

氏の眼には、この世界は固定せる物体の世界ではない、過去の過去から未来の未来に亙る霊的進化の世界である、不変なる物と物との間におけるいわゆる自然科学的法則という如きものは物の表面的関係に過ぎないので、その裡面には永遠の過去より永遠の未来に亙る霊的進化の力が働いているのである。（同前）

「永遠の今」には過去、現在、未来という三つの時が、生きたまま収斂している。そう西田が書いたのは論考「絶対矛盾的自己同一」だった。「過去の過去から未来の未来」とは過ぎ行かない永遠の過去であり、未然でありながら今に内包される未来である。ハーンと同じ「時」の領域を生きている、西田はそう感じている。

真の意味で「知る」とは、「自己を越えること」にほかならない、と西田は考えていた。考えていたというよりも、それが彼の哲学的基盤だった。ハーンをめぐる一文にもそうした彼の認識の態度を見ることができる。最後の本格的論考「場所的論理と宗教的世界観」において「知る」をめぐって論究する態度は、生者が死者の実在を「知る」手応えを思わせる。

知るということは、自己が自己を越えることである、自己が自己の外に出ることである。しかも逆に物が自己となること、物が我々の自己を限定することである。知るという作用は、知るものと知られるものとの矛盾的自己同一において成立するのである。無意識とか本能とかいうものからが、既にかかる作用であるのである。

西田における「物」は物体ではない。あらゆる存在者を指す。そこには死者のような不可視な存在者を含む。同じ論考で西田は「歴史的世界は、絶対現在の自己限定として、いつも内在即超越、超越即内在的である」という。さらに「その歴史的課題を把握するのが、真の哲学者の任」だという。西田にとって「歴史」は「永遠」の異名だった。死者こそ「内在即超越、超越即内在的」に存在する。このとき死者とは他者でありながら、自分よりも自分に近く感じられる存在になる。「知るものと知られるものとの矛盾的自己同一」もまた、生者と死者における関係の理にほかならない。生者は死者を憶うという。しかし、生者とは死者に憶われている存在でもある。

自我を超えたところにいる「我」、それを自己と呼ぶなら、そこが生者と死者の出会う場所になる。二度とこの世に帰らないはずの存在を、生きているときよりもいっそう明瞭に感じるという

「絶対矛盾的自己同一」を経験する地平でもある。自己は、西田幾多郎の根本問題だった。彼にとっての自己は「私」として意識される個人的なものではなかった。それは「私」、すなわち「意識的自己」を超えるものだった。「場所的論理と宗教的世界観」で西田は自己とは何かをめぐって論究しつつ、「霊性」とは何かにふれる。

我々の自己の根柢には、何処までも意識的自己を越えたものがあるのである。これは我々の自己の自覚的事実である。自己自身の自覚の事実について、深く反省する人は、何人《なんびと》も此《ここ》に気附かなければならない。鈴木大拙《だいせつ》はこれを霊性という(日本的霊性)。而《しか》して精神の意志の力は、霊性に裏附けられることによって、自己を超越するといっている。霊性的事実というのは、宗教的ではあるが、神秘的なるものではない。元来、人が宗教を神秘的と考えること、その事が誤《あやまり》である。

先にふれたように西田が――大拙もまた――いう霊性とは、生者のなかでありありとはたらくものであって、幽霊というときの「霊」とは関係がない。霊性における「霊」は、超越的実在を意味する。霊性とは、万人のなかにあって、「意識的自己を越えた」超越者を求めずにはいられない本能を指す。

先にふれた「倫理学草案」でもすでに、西田は「霊性」という言葉を用いている。「人格を手段として用ゆる事は人を物体視することであり自己の理性を害し霊性を暗〔ま〕すことである」。「霊性」という言葉は、古くから西田のなかである実在感をもって存在していた。また、この文章には次のような印象的な一節もある。

人格は神の賜なり。之を汚すは霊をうる者なり。

「霊をうる」という感覚がある西田に、「霊」が「神」へと通じる扉として認識されていることは明らかである。西田にとって哲学とは、「霊」から「神」への階梯を詳らかにすることだったともいえる。ユングは、深層意識は多層的に存在すると考えた。偽ディオニュシウス・アレオパギタは、天使界には熾天使《してんし》から天使まで九つの位階があると述べている。「意識的自己を越えた」超越も究極的には絶対者に至るのだろうが、その幾重にも重なる層のある場所で、生者と死者が出会うのは疑いを容れない。

## 引用文献

上田閑照編『西田幾多郎随筆集』岩波文庫、一九九六年
西田幾多郎『思索と体験』岩波文庫、一九八〇年
上田閑照編『自覚について 他四篇』(西田幾多郎哲学論集Ⅲ)、岩波文庫、一九八九年
西田幾多郎『善の研究』(改版)、岩波文庫、二〇一二年
『西田幾多郎全集』第十四巻、岩波書店、二〇〇四年
『西田幾多郎全集』第十七巻、岩波書店、二〇〇五年
『孟子』(上・下)小林勝人訳注、岩波文庫、一九六八・七二年

# 地上的普遍性 ――鈴木大拙、近角常観、宮沢賢治

中島隆博

## はじめに

鈴木大拙（一八七〇―一九六六）と近角常観《ちかずみじょうかん》（一八七〇―一九四一）は同時代人である。この二人は近代日本において、仏教の宗教性と社会性について思索をめぐらせ、多くの影響を与えた。二人は生年が同じで、一八七〇年生まれである。出生地も、大拙は石川県、常観は滋賀県と、それほど遠く隔たっていない。教育においても、大拙は一八九二年から九五年にかけて、帝国大学文科大学哲学科（選科）で学んでおり、常観もまた一八九五年から九八年にかけて、同じ哲学科で学んでいた。

近代日本において、仏教の再定義がなされる過程を見てみると、そこには常に、哲学化と宗教化という二つの側面があり、その両者が複雑に絡み合っていた。その中で、大拙と常観はともに、仏教を哲学ではなく、より宗教として捉えようとした。それは、知や理論よりも信や体験を重んじるものである。とはいえ、それは従来の仏教体制を温存しようというのではない。仏教が目指す理想

的な救済の場所は、仏僧という専門家が独占して示すものではなく、一般の世俗の人々ひとりひとりに示されなければならない。大拙と常観は、仏教体制の外に出て、いわば世俗における宗教の実践を行ったのである。内面における宗教化と社会における宗教実践が結合するところに、近代日本仏教の一つの特徴があると思われるが、大拙と常観は、それぞれ異なる仕方で、この方向を模索したのである。

とはいえ、この方向は、個人と国家を結びつけることにも容易に転じかねない。たとえば、大拙と深い親交のあった西田幾多郎（一八七〇―一九四五）はその最晩年において、浄土としての国家をこのように述べていた。

真の国家は、その根柢に於て自ら宗教的でなければならない。而して真の宗教的回心の人は、その実践に於て、歴史的形成的として、自ら国民的でなければならない。而も両者の立場は、何処までも区別せられねばならない。然らざれば、それは中世的として、却って両者の純なる発展を妨げるものである。近代国家が信仰の自由を認めて来た所以である。君主的神のキリスト教と国家との結合は容易に考へられるが、仏教は、従来非国家的とも考へられて居た。〔…〕国家とは、此土に於て浄土を映すものでなければならない。

（西田幾多郎「場所的論理と宗教的世界観」『西田幾多郎全集』第一〇巻、三六六―三六七頁）

ここで西田は、国家は宗教的であり、宗教は国民的でなければならないと述べる。その際、既存の宗教体制をそのまま認めているわけではない。近代の世俗化(政教分離)を通った後に、新たな宗教が国家と結合すると考えているのだ。

中世的なものに返ると考へるのは時代錯誤である。自然法爾的に、我々は神なき所に真の神を見るのである。今日の世界史的立場に立つて、仏教から新らしき時代へ貢献すべきものがないのであらうか。但、従来の如き因襲的仏教にては、過去の遺物たるに過ぎない。普遍的宗教と云つても、歴史的に形成せられた既成宗教であるかぎり、それを形成した民族の時と場所とによつて、それぞれの特殊性を有つてゐなければならない。何れも宗教としての本質を具しながらも、長所と短所とのあることは已むを得ない。唯、私は将来の宗教としては、超越的内在より内在的超越の方向にあると考へるものである。(同、三六五―三六六頁)

「将来の宗教」は内在(個人)と超越(国家)を繋ぐ。そして、西田は「世界史的立場に立つて」、新しい「普遍的宗教」としてそれを創造しようというのである。その創造において、キリスト教だけでなく、仏教も大いに寄与すると想定されている。また、そうした「普遍的宗教」に支えられる国家も、単なる国民国家であることを超えて、世界的な秩序に寄与するというのである。

個人と国家の結合は、宮沢賢治（一八九六―一九三三）においては、さらに複雑である。後で見るように、賢治は常観とはねじれた関係にあり、二人が相容れることはなかった。その後、賢治は田中《たなか》智学《ちがく》（一八六一―一九三九）の国柱会に接近し、個人と国家を直接結びつける世俗宗教の運動に入っていくが、岩手に帰ってからは独自の運動を展開するようになる。それは、国家にまっすぐ向かうのではなく、大地に根ざした農民とともにあろうとするものであった。

本稿で考えたい「地上的普遍性」は、西田のように個人と国家を「天上的な普遍性」である宗教とその特殊な民族的要件によって結びつけるものではない。それは、国家に還元されない個人の宗教性を示しながら、それが水平的に繋がってゆくことで、特殊として規定されることなく、もう一つの普遍性を示すことを期待してである。その中で、大拙の「日本的霊性」の意義をもう一度考え直したいのである。

## 1　近角常観
### ――個人の内面的な宗教体験を共有する「場所」としての求道学舎・求道会館

東京大学本郷キャンパスにある正門を出て少し歩くと、求道会館がある。毎月一度、一般公開されており、常観の孫で建築家の近角真一氏の話を聞くことができる。日本近代を代表する建築家の一人である武田五一《たけだごいち》（一八七二―一九三八）が設計した求道会館は、一九一五年に建てられ、キリスト教の教会建築と仏教が融合したものである。求道会館のこうしたあり方は、近代のキリスト教を前にして、仏教を宗教として再興しようとした近角常観の精神をよく現している。ちなみに、求道会館は、仏教的な「ぐどう」とは読まず、「きゅうどう」と読む。

この求道会館は、常観にとっては、若者と信仰体験を共有する、きわめて重要な「場所」であった。「求道会館設立の主旨を披瀝す」（一九〇三年）によると、求道会館は、常観の師である清沢満之《きよざわまんし》（一八六三―一九〇三）が、学生と寝食を共にして「精神講話」を行っていた場所を継承するものだと語られていた（近角常観『信仰問題』、一九〇頁）。すなわち、清沢が一九〇〇年に開いた浩々洞《こうこうどう》であり、そこではキリスト教の日曜礼拝をまねて、日曜毎に「精神講話」が行われ、雑誌『精神界』が発刊されていた。常観は、欧米視察から帰国後の一九〇二年に、同じ場所に求道学舎を開き、同様に「日曜講話」を行った。その後、求道会館を建設していくのだが（一九一五年完成）、求道学舎にせよ求道会館にせよ、常観の念頭にあったのは、キリスト教青年会（ＹＭＣＡ）であった。その創設者であるジョージ・ウィリアムズにロンドンで会った感激を、常観は「感慨無量」と語っている（同、一九七頁）。

では、この「場所」で常観は何をしたのか。それは、参加者が、自らの煩悶の体験を他人に披瀝して、共鳴を得るという場所であった。

吾人敢て独り斯道[仏道]を私するに忍びむや。唯其実験を披瀝して心琴の共鳴に訴へ、所感を傾けて内心の懺悔を事とせむと欲するのみ、此に於て日曜講話を開きて、清閑半日、来会求道の諸氏と共に甘露の法雨に浴し、内心煩悶の焔を消滅して共に光風霽月の天地に遊ばむことを楽む。

（同、一九三頁）

ここで「実験」という概念に注意しておこう。これは科学的な実験ではなく、実際の体験という意味である。この「実験」という概念は、清沢満之の近代真宗のグループや、内村鑑三の無教会派のグループの間でしばしば用いられていた(1)。そして、常観にとってこれは、仏教を哲学的に理解する道を批判し、宗教として理解する道を開くものだったのである。

吾人が宗教の真髄として主張せんと欲するは哲学の宗教でもなく、教権の宗教でもない。言はゞ実験の宗教とでも云ふべきものである。実験と云ふは吾人の心中に於て親しく実験したる事実である。或は苦しみ、或は憂へ千変万化極りなき吾人の胸中に於て、たしかに実験したる生きたる信仰である。

（近角常観「実験之宗教」『信仰問題』、一頁）

明治期の日本において、仏教を哲学的に解釈することは、学としての仏教を確立するためにはきわめて重要であった。しかし、それは宗教としての仏教を弱めることになる。ここで常観は哲学的仏教を次のように批判する。「哲学の研究が仏教信念の消長に与へし害毒」（一九〇二年）にはこうある。

過去二十年間に於て仏教の声価を貴からしめたものは哲学である。而して仏教の宗教的真価を暗ましたものも亦哲学である。

（近角常観「哲学の研究が仏教信念の消長に与へし害毒」『信仰問題』、一〇頁）

然るに現代仏教の信仰の起らぬは此本体論に屈托して、理屈三昧に日を暮して居るもの故、宗教としての生命が日々に消滅する次第である。新仏教の人々が汎神的教理を根本義として信仰が定まらぬのも、村上博士が仏陀を理想としながら、頻りに之を拝まむと勉めて居らるゝのも、井上哲次郎博士が大我の人格を否定して声を聞かんと勉めらるゝも、精神主義の人々が如来々々と呼び乍ら、兎角汎神的如来に陥るのも、結局此哲学的本体論が宗教の中心と見られたからである。

（同、一八頁）

「新仏教」というのは新仏教同志会とその機関誌である『新仏教』（一九〇〇年創刊）を中心にして、

従来の宗教制度や儀礼を廃し、仏教の社会参加を唱えていた運動である。鈴木大拙もこの雑誌にしばしば寄稿していたという。[2] 村上博士とは、村上専精《むらかみせんじょう》(一八五一―一九二九)のことで、『仏教統一論大綱論』(一九〇一年)において大乗非仏説を唱えたために、真宗大谷派から離脱を余儀なくさせられていった。井上哲次郎(一八五六―一九四四)は、常観が帝国大学で学んだ教授の一人であり、あらゆる宗教に共通なのは、大我(実在)の声を聞き小我(個別性)を乗り越えることだと述べていた。問題なのは、最後の如来と唱える精神主義である。これは常観が師事し、その精神活動の場所を継承したはずの、清沢満之の如来の他力に任せるという主張に外ならない。常観は清沢の主張をも哲学として退けようというのである。[3]

では、常観の考える宗教としての仏教とは何か。ここで常観は、ルターやカルヴァンに触れた上で、それは「救済の仏教」であると結論づける(同、一九―二〇頁)。そしてそれは「人心改革」と「社会改造」に繋がらなければならない(同、二二頁)。つまり、常観は、哲学という媒介を外すことで、実験(体験)にもとづいた、内面における宗教化を、救済と社会変革という、社会における宗教実践とを結合させようとしたのである。

## 2 宮沢賢治 ――「土地の精霊」と地人

近角常観に影響を受けた人々の中に、宮沢賢治の父である宮沢政次郎(一八七四―一九五七)がいる。岩田文昭によると、一九〇四年に政次郎たち花巻の知識人が、常観を夏期講習会に招聘したことが最初の接触であった(岩田文昭『近代仏教と青年――近角常観とその時代』、一八五頁)。その後、政次郎は常観に師事し、『求道』第三巻第二号(一九〇六年三月)の「告白」欄に、高橋[勘太郎]宛ての所感を載せて、「自己の煩悩の深さとその自己を救う阿弥陀の慈悲の有りがたさを讃嘆している」(同、一八七頁)。そして、一九〇六年四月には、政次郎は家族を連れて求道学舎を訪れるほどであり、その後も常観との交遊は続いていった。

ところが、政次郎とは異なり、賢治とその妹のトシは常観とは相容れなかったようである。トシは一九一五年四月に日本女子大学に入学し、上京すると、すぐに常観のもとを訪ねている。しかし、トシは常観の講話を聞いても、著書を読んでも、信仰を得ることができなかった(「一九一五年五月二九日　宮沢トシ発近角常観宛書簡」、同、二八八―二九三頁)。賢治も一九一九年一月に常観のもとを訪れたようである(同、二二三頁)。しかし、賢治は真宗の信仰を離れ、法華信仰とりわけ日蓮宗への信仰に入っていく。もともと賢治は盛岡高等農林学校入学後の一九一五年八月に、盛岡にある真宗の願教寺で、島地《しまじ》大等《だいとう》(一八七五―一九二七)の講義を聴いていたが、その際に、法華経の話を聞き[4]、徐々に法華信仰にのめり込んでいった。その後、賢治と政次郎との間に、信仰をめぐる深刻な対立が生じ、賢治は政次郎を改宗させようとする。それに失敗すると、賢治は花巻を捨てて上京し、一九二一年一月に国柱会に身を寄せることになった。

国柱会とは、田中智学が始めた在家仏教団体で、日蓮主義に基づく。一八八〇年に創設した際には「蓮華会」、一八八四年に東京に拠点を移した際には「立正安国会」と称していたが、一九一四年一一月に「国柱会」と改称し、「国体」や「八紘一宇」を掲げることになった。それは、近代の政教分離の原則を批判し、政教の一致、具体的には、天皇が帰依した日蓮主義の国家に、個人を結び合わせるものであった。個人の内面を強調した上で社会的実践に向かった常観に比べて、智学の考えはより国家主義に傾いていたのである。

賢治はその智学に傾倒し、一九二〇年一〇月に入会し、前述したように、一九二一年一月には国柱会で働き始めた。しかし、トシが病床に就くと、賢治は二一年八月に帰郷し、同年一二月には、稗貫《ひえぬき》農学校（後の花巻農学校）において教諭として働き始めた。賢治がここで国柱会への信仰から離れたのか、それとも一生信仰を持ち続けたのかについては、見解が分かれているが、少なくとも国柱会の目的が何であるのかを賢治が理解した上で、国柱会に戻らなかったことは確かであろう[5]。

では、賢治の法華信仰はどこに向かったのか。それは、常観のように、個人の内面的な宗教体験を共有する「場所」を見出す方向でもなく、智学のように、宗教国家という「場所」を構想する方向でもない。それは、天沢退二郎が述べるように、「土地の精霊」との「霊的交通」を行う「場所」に向かったのだろう。

賢治の仕事もテクストも、〈土地の精霊〉[Genius Loci]との交感、深い霊的交通に由来しているのであって、それこそが、《宮澤賢治》における〈宗教〉の核心の所在を示唆している。
（天沢退二郎「宮澤賢治の〈宗教〉の核心」『宮澤賢治の深層』、二二頁）

天沢は「土地の精霊」を扱った例として、「土神と狐」（一九三四年）を挙げているが、このテクストでは、詩人としての狐が土神によって悲劇的に殺される様子が描かれていた。

このことを考えるのに、もう一つ重要なことは、羅須地人協会（一九二六年八月―二七年三月）である。賢治が開いたこの協会は、地人の協会である。地人とは直接には農民を指すが、より広く、地上に生きる人を意味するのだろう。この活動は長くは続かなかったが、賢治はこの「場所」で、地人とともに、科学や芸術について論じようとした。そのテクストとして書かれたのが、「農民芸術概論綱要」（一九二六年）である。その序論にこうある。

おれたちはみな農民である　ずゐぶん忙がしく仕事もつらい
もっと明るく生き生きと生活をする道を見付けたい
われらの古い師父たちの中にはさういふ人も応々あった

近代科学の実証と求道者たちの実験とわれらの直観の一致に於て論じたい
世界がぜんたい幸福にならないうちは個人の幸福はあり得ない
自我の意識は個人から集団社会宇宙と次第に進化する
この方向は古い聖者の踏みまた教へた道ではないか
新たな時代は世界が一の意識になり生物となる方向にある
正しく強く生きるとは銀河系を自らの中に意識してこれに応じて行くことである
われらは世界のまことの幸福を索ねよう　求道すでに道である
（宮沢賢治「農民芸術概論綱要」『新校本　宮澤賢治全集』第一三巻上、九頁）

ここにある「求道者たちの実験」という表現に、岩田は「常観の痕跡を認めることができる」（岩田文昭『近代仏教と青年——近角常観とその時代』、二一六頁）と述べるが、確かではない。「農民芸術の興隆」の中に、「宗教は疲れて近代科学に置換され　然も科学は冷く暗い」という一文があり、それに対して、「見えざる影に嚇された宗教家　真宗」と注釈が付けられているのを見ると（宮沢賢治「農民芸術の興隆」『新校本　宮澤賢治全集』第一三巻上、一八頁）、賢治が宗教としての真宗を依然として受け入れていないことが見て取れる。

それに対して、賢治は「農民芸術」を「精神の交通」と「感情の社会化」という「場所」として呼び出した。

農民芸術とは宇宙感情の　地人　個性と通ずる具体的なる表現である
そは直観と情緒との内経験を素材としたる無意識或は有意の創造である
そは常に実生活を肯定しこれを一層深化し高くせんとする
そは人生と自然とを不断の芸術写真とし尽くることなき詩歌とし
巨大な演劇舞踊として観照享受することを教へる
そは人々の精神を交通せしめ　その感情を社会化し遂に一切を究竟地にまで導かんとする
かくてわれらの芸術は新興文化の基礎である

（宮沢賢治「農民芸術概論綱要」『新校本　宮澤賢治全集』第一三巻上、一一頁）

「地人」と精神的に交通し、それを芸術に表現することが、賢治にとっては社会に参加することとなった。そして、これのみが宗教と科学のどちらをも超えた、もう一つの普遍性を示すことができたのである。

## 3 鈴木大拙──地上的普遍性

宗教としての仏教は、常観と同様に、大拙にとっても重要な問題であった。とはいえ、それは、常観のような内面的で強烈な信仰体験を目指すものではない。大拙が目指した宗教性は、日常性とほとんど変わらないが、しかし日常性に潜むような神秘であった。

一九六四年に大拙は「妙」と題した短文を記している。

近頃「妙」という字が面白くなって来た。老子は「玄之又玄、衆妙之門」といっておるが、この「妙」を欧洲語ことに英語に訳しようと思って、昔から勉《つと》めて見たが、どうもぴたりとこない。語学の知識が不足のせいかも知れぬ。とにかく、シナ字の「妙」が一番気に入る。英語で wonderful, mysterious, magical, beyond thinking などといっても、どうも積極的に「妙」に相応せぬ。近頃バイブルを見ていて、ふと左の句に突き当たった。

"And God saw everything that he had made, and, behold, it was very good."（創世記、第一章）

この平凡な very good が「妙」である。このグッドは善悪の善でもなく、好醜の好でもない。すべての対峙をはなれた絶対無比、それ自身においてある姿そのものなのである。「妙」はこれに外ならぬ。雲門のいわゆる「日日是好日」の好である。またエクハルトの"Every morning is good morning"の good である。またこれを「平常心是道」ともいう。この最も平常なところに、最も「妙」なるものがあるではないか。

（鈴木大拙『新編　東洋的な見方』、一〇五―一〇六頁）

「最も平常なところに、最も「妙」なるものがあるではないか」と述べるように、大拙が考える「妙」は、日常に徹した中でいわば微分的に見出される神秘である。眼前の事物がそれ自身においてあることが、その背後に創造の神秘を有しているという、二重性において摑まえられている。

こうした日常との微分的もしくは二重的な構造において見出される神秘を、大拙は中国や日本の仏教遺産に見出そうとするのだが、先ほどの引用が示すように、この宗教性の構造は洋の東西を超えて普遍的であるはずである。大拙は特殊日本的な普遍を求めたのではない。

鈴木大拙が『日本的霊性』を書いたのは一九四四年である。そこで大拙は霊性すなわち宗教性の次元を発見しようとした。それは、当時政治的に理解されてしまっていた日本精神や、制度化された宗教とは異なるものであった。では、精神や宗教から霊性を区別することによって、大拙は何をしようとしたのか。わたしの理解では、全体主義に対抗するために、「地上的普遍性」を構想し、大地に根ざしながらも普遍性に開かれた社会を実現しようとしたのである。(6)

『日本的霊性』において大拙は大地と霊性に関して次のように述べていた。

天に対する宗教意識は、ただ天だけでは生れてこない。天が大地におりて来るとき、人間はその手に触れることができる。天の暖さを人間が知るのは、事実その手に触れてからである。大地の耕される可能性は、天の光が地に落ちて来るということがあるからである。それゆえ宗教は、親しく大地の上に起臥する人間——即ち農民の中から出るときに、最も真実性をもつ。

（鈴木大拙『日本的霊性』、四五頁）

霊性と言うといかにも観念的な影の薄い化物のようなものに考えられるかも知れぬが、これほど大地に深く根をおろしているものはない、霊性は生命だからである。大地の底には、底知れぬものがある。空翔《か》けるもの、天降《あまくだ》るものにも不思議はある。しかしそれはどうしても外からのもので、自分の生命の内からのものでない。大地と自分とは一つものである。大地の底は、自分の存在の底である。大地は自分である。

（同、四七頁）

農民による「大地の耕される可能性」を通してはじめて「天に対する宗教意識」が生じる。霊性は、大地を耕す農民にこそ具現するのだ。

妙好人とは、こうした霊性を有した農民である。大拙は島根県邇摩郡大浜村大字小浜に住んでいた浅原才一こと才市妙好人《さいちみょうこうにん》について生き生きと描写している。その要点は、妙好人である才市は、凡夫にすぎないのに、いや凡夫であるからこそ、同時に阿弥陀仏であるということにある。とはいえ、才市と阿弥陀仏の関係はやや複雑である。

「わしが阿弥陀になるじゃない、
阿弥陀の方からわしになる。
なむあみだぶつ。」

(同、二一九頁)

この才市の言葉は一篇の詩である。神秘はたとえ語り得ないにしても、一人の人間を通して詩に結晶化することがあるのだ。この言葉を大拙は次のように論じる。

名号は阿弥陀の方から来て才市に「あたる」と、才市は才市で変りはないが、しかしもはやもとの才市ではない、彼は「なむあみだぶつ」である。そしてこの「なむあみだぶつ」から見ると、一面は弥陀であり、一面は才市であって、しかもまたそれ自身たることを失わぬ。

(同、二二〇頁)

才市が才市でありながらも、同時に阿弥陀仏である。これは単なる自己同一性ではなく、「才市と仏が矛盾でしかも自己同一性である」（同、二二一頁）ということなのだ。あるいは、「弥陀と才市との自己同一は、空間的即時間的というべき立場で看取しなければならぬ」（同上）と述べて、「才市は弥陀のなかで動き、弥陀は才市のなかで動くのである」（同上）とする。

大拙はこうした妙好人に見出すことのできる霊性を「日本的霊性」と呼ぶ。ただし、それは日本的に変容された霊性ではなく、日本を通じて生み出される普遍的な霊性である。

霊性は、それ故に普遍性をもっていて、どこの民族に限られたというわけのものでないことがわかる。漢民族の霊性もヨーロッパ諸民族の霊性も日本民族の霊性も、霊性である限り、変ったものであってはならぬ。しかし霊性の目覚めから、それが精神活動の諸事象の上に現われる様式には、各民族に相異するものがある、即ち日本的霊性なるものが話され得るのである。

（同、二〇頁）

大拙は、霊性は普遍性を有しており、特定の民族に限定されないが、同時に、それはそれぞれの民族に応じたユニークな仕方で現われると考えている。その普遍性は、天上的で覆うようなものではなく、地上的で下からわき上がるようなものなのだ。

地上的普遍性を有した霊性を通じて、大拙が考えた社会は、平安貴族のものではなく鎌倉武士のものであった。鎌倉の新しい社会を支えていたのは大地の上で起居する農民である。(7)垂直的なヒエラルキーの上位に位置する貴族ではなく、農民の水平的な結合こそが新しい社会の軸なのだ。そして、大拙は来るべき日本においては、こうした地上的普遍性を有した霊性が実現されるべきであると考えていたのである。(8)

## 結論

常観、賢治、大拙の三人は、近代日本において、宗教としての仏教の可能性をそれぞれに模索した。常観は、哲学としての仏教を離れ、内面における信仰体験を重視し、それを共有する場所として求道学舎・求道会館を開いた。賢治は、法華信仰に転じることによって、より社会的な救済に向かっていったが、国柱会のように国家に向かうのではなく、大地に生きる農民が集い、精神の交通を行う場所として、羅須地人協会を開いたのである。これは決して常観と全く別というわけではない。それに対して、大拙は、新仏教運動に関与していたことからもわかるように、制度化された仏教を離れ、地上的な普遍性を有した霊性を、日本の思想の中に探っていった。それは、同時に、日本の超国家主義への批判でもあったのである。

三人がそれぞれのやり方で批判を通じて開いた「場所」は、決して天上的なものではない。それは大地に根ざしながらも、普遍に開かれた場所であった。それは、近代的な内面性を超えて、人々が水平的に結合し、宗教性に与《あずか》るような場所であったのである。

## 参考文献

近角常観『信仰問題』文明堂、一九〇四年
中野駿太郎「清沢満之と近角常観」『大法輪』第二二巻四号、大法輪閣、一九五五年
鈴木大拙『日本的霊性』(篠田英雄校訂)岩波文庫、一九七二年
宮沢賢治『新校本 宮澤賢治全集』第一三巻上、筑摩書房、一九九七年
鈴木大拙『新編 東洋的な見方』(上田閑照編)岩波文庫、一九九七年
西田幾多郎「場所的論理と宗教的世界観」[一九四六年]『新版 西田幾多郎全集』第一〇巻、岩波書店、二〇〇四年
佐々木竜太「日本人のキリスト教理解における「実験」概念の研究――本多庸一と内村鑑三の「実験」概念の差異」青山学院大学教育学会紀要『教育研究』第四八号、二〇〇四年
末木文美士『他者・死者たちの近代』トランスビュー、二〇一〇年
碧海寿広「哲学から体験へ――近角常観の宗教思想」『宗教研究』第八四巻一輯、日本宗教学会、二〇一〇年
碧海寿広「近代真宗とキリスト教――近角常観の布教戦略」『宗教と社会』第一七号、「宗教と社会」学会、二〇一一

年
プラット・アブラハム・ジョージ、小松和彦編『宮澤賢治の深層――宗教からの照射』法藏館、二〇一二年
吉永進一「近代日本における知識人宗教運動の言説空間――『新佛教』の思想史・文化史的研究」科学研究費報告書（二〇〇八―一一年度）、二〇一二年
鈴木大拙『禅に生きる』（守屋友江編訳）ちくま学芸文庫、二〇一二年
岩田文昭『近代仏教と青年――近角常観とその時代』岩波書店、二〇一四年

## 注

（1）碧海寿広「哲学から体験へ――近角常観の宗教思想」、七―八頁。同「近代真宗とキリスト教――近角常観の布教戦略」、五五頁。佐々木竜太「日本人のキリスト教理解における「実験」概念の研究――本多庸一と内村鑑三の「実験」概念の差異」、一―一二頁。
（2）吉永進一「近代日本における知識人宗教運動の言説空間――『新佛教』の思想史・文化史的研究」、三六―三七頁、五〇―五一頁、五六頁、六〇頁、六七頁
（3）中野駿太郎によると、常観は清沢と自分の信仰は異なると語っていた。中野駿太郎「清沢満之と近角常観」、七二頁を参照。
（4）島地大等は一九一四年に島地大等編訳『妙法蓮華経』を出版している。
（5）プラット・アブラハム・ジョージ、小松和彦編『宮澤賢治の深層』、六頁を参照。
（6）大拙が国家との関係において、肯定と否定の二重性があると、末木文美士は指摘している。末木文美士『他

者・死者たちの近代』、九八－一一九頁を参照。

(7)近年の研究から鎌倉新仏教とは単純にいうことはできなくなっているが、それでも少なくとも近代日本において、鎌倉の禅と浄土が新しい社会の形式として理解されていたことには注意を払っておきたい。

(8)「霊性的日本の創建」(一九四六年)には次のようにある。

霊性的日本なるものが経済や工業や科学や道徳など云うものの外にあるのではなく、それと並行して実現され得るものである。否、それと同時に実現されるようにつとめなければならぬのである。それ故に、霊性的日本は日常生活の外に在るものでなくて、実にその中に自ら宿って居るものなのである。ただそれを自覚しさえすればよいのである。故に問題は、自覚をいかにして可能ならしめるかと云うところにあるのである。(鈴木大拙『禅に生きる』、三二八頁)

ここでも霊性と日常の不即不離の関係が繰り返されている。

＊この論文は、もともと二〇一六年に開催された第一一回東西哲学者会議(ハワイ大学)で発表されたものである。その英語版は、以下に収められている。

Nakajima, Takahiro. 2019. Seeking a Place for Earthly Universality in Modern Japan: Suzuki Daisetz, Chikazumi Jōkan, and Miyazawa Kenji. In *Philosophies of Place: An Intercultural Conversation*. Eds. Peter D. Hershock & Roger T. Ames. Honolulu: University of Hawai'i Press.

ただし、英語版に加筆修正を加えている。

# 「霊性」の革命

安藤礼二

## 1 井筒俊彦の起源

井筒俊彦は、折口信夫が提起した「憑依」の神道と、鈴木大拙が提起した「如来蔵」の仏教を一つに総合した地点に、自身の「東洋哲学」の体系を構築した。そうまとめることは充分に可能であろうし、そのための根拠も充分にあるだろう。荒々しい野生の神憑りが、いまこの場で、無限にして永遠の存在である如来、すなわち無限にして永遠である神へといたる道、神へと変身していく方法を明らかにしてくれるのだ。そこに井筒俊彦の学問と表現の核心が存在している。

そのはじまりの場所、井筒自身が「私の無垢なる原点」と称する『神秘哲学』(一九四九年)は、プラトンとアリストテレスによって確立されたギリシア哲学の起源に舞踏神ディオニュソスによる「憑依」の体験を据え、その帰結にプロティノスによる「神秘」の体験、「一者」との合一、より正確に述べるとするならば、限りなく「一者」との合一へと近づいた体験を据えたものだった。「憑依」の体験を「神秘」の体験へと変成させていくこと、およびその過程。それを明確に言語化してくれたものこそが、井筒にとってのギリシアであった。

そして井筒は、生涯を通して、そうした「神秘」の体験、「一者」との合一によって可能となったプロティノスの「光」の哲学を手放すことはなかった。当初意図されていた「西洋」とは異なり、「東洋」へと大きく進路は変更されたが、副題に「『大乗起信論』の哲学」と付され、結果として遺著となった『意識の形而上学』(一九九三年)にいたるまで、井筒はプロティノスによってかたちが整えられた「光」の哲学を参照し続けている。井筒思想のすべてにおいて、プロティノスの「神秘」の哲学が貫徹されているのである。

ということは同時に、井筒思想のすべての起源にディオニュソスが、あるいは「憑依」(神憑り)が、位置づけられることにもなる。事実、井筒が残した唯一の文学論である『ロシア的人間』(一九五三年)のはじまり、第一章「永遠のロシア」では、永遠の原初性に満ちたエレメンタールな大自然にひらかれた、やはり永遠の原初性に満ちたエレメンタールなロシア的人間のあり方が、「ディオニュソス的」という形容詞を用いて表現されている。あるいは、井筒自身がはじめてアラビア語から日本語に移すという栄誉を担うことになった全三冊からなる『コーラン』のはじまり、岩波文庫版の上巻(初版一九五七年、改版一九六四年)の「解説」には、砂漠の預言者ムハンマド(マホメット)についてこう記されていた——。

神憑《かみがか》りの言葉。そうだ、『コーラン』は神憑りの状態に入った一人の霊的人間が、恍惚状態において口走った言葉の集大成《しゅうたいせい》なのである。だからそこに説かれているのはマホメットの教説ではない。マホメットではなくて、マホメットに憑《の》りうつった何者かの語る言葉なのである。その「何者か」の名をAllāhという。唯一にして至高なる神の謂《い》いである。

井筒にとって哲学も文学も宗教も、すべては「憑依」の体験からはじまっていたのである。井筒思想の一方の極となる預言者とは、憑依する人、これもまたより正確に述べるならば、神の聖なる言葉によって憑依される人であった。おそらくは、井筒のそのような思考方法の一つの原型となったのが、師であった西脇順三郎の命によって出席し続けていたと伝えられる、慶應義塾大学における折口信夫による一連の講義であったことは疑いあるまい。折口もまた、列島固有の宗教――神道――も、列島固有の文学――諸神話および諸物語の起源と考えられた唱導文学――も、ともに「神憑り」からはじまると説いていたからだ(自他共に認める折口の代表作『古代研究』に収録された、連続する四つの稿からなる「国文学の発生」など)。

井筒は、折口にならうようにして、「憑依」の体験を、あらゆる表現発生の基盤に据える。さらにそこから理論さえも導き出そうとするのだ。それは折口が成し遂げられなかったことだ。「憑依」

の体験を「哲学」の理論として鍛え直すのである。

舞踏の神であり陶酔の神であるディオニュソス、至高の神であるとともに野生の獣そのものでもあるディオニュソスに憑依された女性たちは、「聖なる狂気」にとらわれ、異神ディオニュソスの象徴である聖なる獣たち、牡牛および牝牛などに集団で襲いかかり、生のまま貪り喰う。そのことによって、ディオニュソスにとり憑かれた女性たちは、ディオニュソスそのものと一体化する。そうした憑依の瞬間、神と人間と獣の区別は完全に消滅してしまう。人間の内に秘められていた聖なる魂は身体の外へと遠く逃れ去り、あらゆるものの区別が消滅し、空虚となった内なるその場所に、今度は逆に自然を構成するあらゆる元素（エレメント）が満ち溢れ、一つに融け合う。魂は永遠であり、森羅万象あらゆるものにもまた神的な力が無限に浸透している。

井筒は、そこから二つの原理を抽出してくる（引用は『神秘哲学』第二部、人文書院版より）――。

ディオニュソス宗教のギリシアに於ける隆盛は同時に西欧神秘主義の発端を劃するものである。無残にも引裂かれた生肉と、滴り落ちる生血の匂いも凄まじい蛮神ディオニュソスの手ずから、西欧的人間は神秘主義の洗礼を受けたのであった。この神の狂暴な祭礼を通じて、西欧的人間は初めてエクスタシス（霊魂の肉体脱出）及びエントゥシアスモス（神の充満）と称する特殊な体験を味識し、かつこの体験に於いて、感性的物質的世界の外に、「見えざる」真実在の世界が厳存する事実を親しく認知したのであった。

エクスタシス(脱自)とエントゥシアスモス(神充)。エクスタシスは永遠の霊魂観に昇華され、永遠にして不滅である生命としての霊魂を探究する密儀宗教を生む。エントゥシアスモスは無限の自然観に昇華され、万物を産出する始原《アルケー》としての自然を探究する自然哲学を生む。生命にして自然は「一」なるものであるとともに「全」なるものでもある。静寂に満ちた「一」なる理念を重視したパルメニデスを引き継ぐかたちでプラトンの思想が生まれ、イデアの論として完成する。流動する「全」としての自然を重視したヘラクレイトスを引き継ぐかたちでアリストテレスの思想が生まれ、質料と形相からなる宇宙生成論として完成する。

プロティノスが成し遂げたのは、「全」なる自然——無数の個物、つまりは質料と形相の無限のグラデーションからなる自然——を論じたアリストテレスを経て、「一」にして永遠なるイデアとしての霊魂を論じたプラトンへと還ることであった。プロティノスによって、ディオニュソスの憑依に淵源する二つの原理、エクスタシスとエントゥシアスモス、そこから生まれた二つの哲学、プラトンのイデア論とアリストテレスの質料形相論が一つに総合されたのである。「一即全」として森羅万象あらゆるものを自らのうちから産出するイデアとしての自然、それをプロティノスは「一者」とした。万物の根源に存在する、それ自体生命をもったイデアである。

「憑依」という未曽有の体験が切り拓いてくれた地平に、プロティノスのいう無限にして永遠なる「一者」が顕現してくるのである。それが『神秘哲学』のもつ基本構造である。「一者」は人間を、あるいは自然を限りなく遠く超越しているとともに、人間に、あるいは自然に限りなく近く内在している。井筒は、『神秘哲学』の段階では、そこに「西欧神秘主義思想」の端緒を見出した。しかし、井筒が最終的にたどり着いたのは、「東洋神秘主義思想」の帰結であるイランのイスラーム、それを貫く「存在一性論」の世界であった。ディオニュソスが憑依する主体は預言者の系列、「イマーム」として読み替えられ、プロティノスが自身の体験として、その目を通してはるかに望んだ「一者」は統合的な神、「有」の神を生み出す絶対的な神、「無」の神として読み替えられていった。

「存在一性論」は井筒の思想が到達した最後の場所であるとともに、その余波が現在にまでおよぶアジアのイスラーム、イランの地で磨き上げられた「霊性」による革命の原理となった教えでもあった。井筒俊彦の起源も帰結も、実は、きわめて政治性に満ちたものであった。前者、戦前における大東亜共栄圏構想への積極的な参加、大川周明との関わりについて、最晩年の井筒は自由に語りはじめたが、後者、自身がイランを去らなければならなくなった「存在一性論」を基盤としたイスラーム革命については結局、その死に至るまで、主体的に語ることはなかった。おそらく両者は、預言者を中心とし、「一者」——換言するならば「神」——を原理とした革命という点において深く共振し合っていたにもかかわらずに……。つまり、井筒俊彦の起源とその帰結もまた、「霊性」による革命を志向した、あるいは志向せざるを得なかった、ヨーロッパ的な近代に否を突きつける運動と密接に関わっていたのである。その真の射程を浮き上がらせることは、近代の日本そのものを再考していくことにつながるであろう。

## 2　井筒俊彦の帰結

イランの民衆たちがイスラームによる統治を掲げて革命に向けて大きな盛り上がりを見せるのと並行するかのように、井筒俊彦は、イランのイスラーム、「存在一性論」の探究の成果であるモッラー・サドラーの『存在認識の道』と『ルーミー語録』をともに日本語に翻訳し、世に問うた。いずれも自身が監修者となり、岩波書店から刊行された「イスラーム古典叢書」の一冊として、である。革命が生起する一年前、一九七八年のことであった。一方は哲学、一方は詩というところに、井筒の理解の方向性が示されている。哲学と詩を二つの極としてもった「存在一性論」の世界を、井筒はさらに内的に深く掘り下げていく。その成果は、イランの革命から逃れるようにして日本に帰還した直後に講演された「イスラーム哲学の原点」を骨格とする『イスラーム哲学の原像』(岩波新書、一九八〇年)に示されている。イラン革命の進展と、井筒による「存在一性論」探究の進展は完全に並行していた。

『イスラーム哲学の原像』に沿うかたちで、その概要を示すとするならば、こうなる。イランの「存在一性論」とは、シーア派的な環境のなかで研ぎ澄まされていった神秘主義的な実践、スーフィズムが、プロティノスに淵源する「一者」からの流出を説いた哲学と一つに融合することによって成り立ったものである、と。神秘主義と哲学の融合というこの未曾有の事態は、一二世紀から一三世紀にあらわれた二人の卓越した思想家によって可能となった。そのうちの一人は、世界を光としての「本質」からなるものとして捉えた、イランに生まれたスフラワルディー(一一五五―九一)であり、もう一人が、世界を唯一の「存在」が自己限定していくこととして捉えた、スペインに生まれたイブン・アラビー(一一六五―一二四〇)である。スフラワルディーの「本質」とイブン・アラビーの「存在」を一つに総合し、唯一の「存在」が個別の「本質」として自己限定することによって森羅万象あらゆるものが今このようにある、つまりは今このように顕現していると説き、「存在一性論」の体系を完成させたのが一六世紀から一七世紀のイランを生きたモッラー・サドラー(一五七一―一六四〇)であった。

スーフィーたちが孤独な修行によって明らかにしてくれた意識の多層性が、哲学者たちが思索の果てに明らかにしてくれた存在の多層性に重なり合う。意識を深めていくことで、存在の深み、森羅万象あらゆるものを絶え間なく生み出し続けている存在の根底、存在の「本体」たる「神」へと到達すること、「神」へと限りなく近づいていくことが可能になる。その「神」は、あらゆる個物としてある「多」を生み出す「一」なる存在よりもさらに深くあるもの、もはや、ただ「無」としてしか形容することのできない絶対的な存在であった。「無」として存在する絶対的な「一者」が、あらゆる「多」の基盤となる「一」、有として存在する統合的な「一者」へと転換する。そこから森羅万象あらゆるものが生み出されてくる。それが世界の真実なのだ。「神秘」の体験に「哲学」の理論としての基盤が与えられ、「哲学」の理論は「神秘」として生起する体験に裏打ちされて、より確実なものとなった。

井筒が整理してくれた「存在一性論」の体系、「存在顕現」の形而上学の体系の核心は、こうなる(引用は『イスラーム哲学の原像』岩波新書版より)——。

絶対一者は、この訳語自体が示唆しておりますように、内面的にも外面的にも徹底して一。統合的一者は外面的には一、内面的には多。感覚界は徹底して多。そしてこれらすべての究極的根源として絶対無。無から一をとおって多へ、この全過程を貫いて一条の道が走っている、それが存在顕現なのであります。

無から一を通して多へ。存在は段階を追って顕現してくるのである。「無」なる神は「一」なる神を監督・支配し(統治し)、「一」なる神は「多」なる個物を監督・支配する。監督・支配されることは、その代理となることでもある。「多」なる個物は「一」なる神の代理であり、「一」なる神は「無」なる神の代理である。監督・支配すること、つまりは統治することを「ウィラーヤ」と言い、代理することを「ヒラーファ」と言う。両者に、さらに神のごく身近にあるという意味をもつ「ワラーヤ」という言葉が重なり合う(ウィラーヤ、ワラーヤとも神のもつ属性、つまりは神名の一つである)。人間は「一」なる神の身近にあり、「一」なる神の代理となるとともに、「一」なる神に監督・支配される(統治される)。「一」なる神は「無」なる神の身近にあり、「無」なる神の代理となるとともに、「無」なる神に監督・支配される。

身近であること、監督・支配されること、代理となること。その連鎖が、「無」なる神から「一」なる神を経て、「多」なる個物、人間に至るまで貫かれている。そうしたあり方、つまりは神の「法」をこの地上に伝えてくれた者こそが預言者であり、その預言者の血を引く一族が精神的な指導者であるイマームとして、可視の世界(第一一代のイマームまで)と不可視の世界を通じて(この地上からはいったん姿を消したが、来るべき次なる世界とともに君臨する第一二代のイマームとともに)、現在に至るまでイランの民衆を率いているのだ。預言者は神の代理であり、イマームたちは預言者の代理であり、預言者とイマームたちによって示された神の「法」を知悉する、知悉するようにつねに努めている法学者たちはイマームたちの代理として、第一二代の「隠れた」イマームがこの地上に再臨するまでイランの民衆を監督・支配すること、すなわち統治すること、「ウィラーヤ」を行うことが許されている。ホメイニーが提唱し、イランのイスラーム革命を導いた「イスラーム統治論」(イスラーム法学者による監督・支配)の源泉には、「存在一性論」の世界観があったのだ。「存在一性論」がイラン革命を可能にしたのである。

法学者たちを介して、有限で「多」なる人間たち、イランの民衆たちと無限で「一」なる神の間は、段階を経ながらも、ダイレクトに結ばれることになる。法学者たちもまた、聖なるイマームたちの代理に過ぎず、ごく普通の人間たちであるとするならば(ただ神の「法」の詳細を知るという一点だけで一般の人間たちと異なるだけである)、イラン革命の目指すところは人間の「法」による統治ではなく、神の「法」による人間たちの統治なのである。「法」とは、人間たちが作り上げたものではなく、神から与えられたものなのだ。そこでは、当然のことながら、人間的な君主制は否定されることになる。神を媒介とした古代的かつ反動的でありながらも未来的かつ革新的な民主政体を確立することが目標となる。ある意味において、イランの革命で目指された神を媒介とした民主政体とは、スピノザが、『エチカ』を土台として『神学・政治論』で素描した政体ときわめて類似するものとなるであろう。

井筒の教えを直接的、間接的に受けた二人の研究者、黒田壽郎の『イスラームの構造』(書肆心水、二〇〇四年)と松本耿郎の『イスラーム政治神学　ワラーヤとウィラーヤ』(未來社、一九九三年)は、井筒が直接論じることを避けた、「存在一性論」がもつ政治性に、ともに注目する（ここまで論じてきたイラン革命と「存在一性論」の関わりについては、松本の著作にもとづき、その内容を要約したものである）。「存在一性論」の哲学は詩と密接な関係をもつだけでなく、政治ともまた密接な関係をもっていたのだ。黒田は、狭義には神の唯一性を意味する「タウヒード」を、あらゆるものを「一」の地平、「一」の視点から見る〈一化の原理〉と捉え直す。「一」なる神のもと、すべての個物には、それぞれがもつ平等性（等位性）、差異性、関係性が貫徹されている。森羅万象あらゆるものは、「一」なる神のもと、それらがもつ差異性を平等に認められ、それゆえに、あらゆる関係性を自由に結び合うことが可能になる。国家という軛を逃れ、神の「法」（シャリーア）を基盤とした、聖なる信仰の「共同体」（ウンマ）が創出される。

等位性、差異性、関係性の三幅対からなるタウヒードを理解するために、特権的に参照すべき事例がある。そう黒田は書き記している。すなわち――「後に詳述するタウヒードの三幅対は、イスラームの構造を理解するために基本的なものであり、それはそれ自体として理解されるべきであるが、われわれは幸運なことに、それが位置する地平とほぼ共通の場で思想を展開している一人の哲学者の著作を見出すことができる。それはユダヤ教から破門され、同時にイエス・キリストの神性を認めることなしに、より普遍的な自然観を基礎に神を模索したスピノザの思索の跡である。それぞれの人間の差異性をその属性の様態として捉えながら、同時に個別者の等位性、関係性を説く彼の存在論の骨格は、イスラームのタウヒードが提示している世界観とまさに瓜二つなのである」。

井筒は、「存在一性論」のもつ政治性を正面から論じたことは一度もなかった。しかし、黒田がここに提示したようなスピノザ的な唯一の実体（つまりは神、正確には神即自然）とその実体がもつ無限の属性、さらにはその属性が変様することで可能となった個別の様態という、いわゆるタウヒードを構成する三幅対の萌芽となる考えを、すでに『イスラーム哲学の原像』のなかで示していることもまた事実である。井筒はこう述べている。思考の世界、概念の地平においては「本質」は「存在」に先立ち、現実の世界、実在の地平においては「存在」は「本質」に先立つ。それをあざやかに自分に示してくれたのは、「存在一性論」をフランスに紹介した今は亡きアンリ・コルバンが、現代における「モッラー・サドラーの再来」とまで評価した「メシュハド大学教授アーシュティアーニー教授」であった。教授は、こう言っていた――「われらがひとたび思考の世界から実在界に立ち出てみれば、事情はがらりと変わってしまう。そこでは存在は唯一絶対の形而上的普遍者であって、他の何ものの属性でもなく、むしろ逆に他のあらゆるものがそれの様態、それの属性として現れてくるのだ、と」。

このアーシュティアーニーの哲学上の師こそが、ホメイニーその人であった（松本前掲書による）。ホメイニーが実現したイスラーム革命とは、イデアとして存在する神を原理に据えた革命であった。唯一の実体として存在する「無」なる神、無限の属性を本質としてもつ「一」なる神、それらが具体的に変様することで、やはり実在として顕れ出でる感覚的で「多」なる個物。すべては連鎖し、すべては連続しているのである。そのような理念を、現実の政治として生きたときに、どのような事態が生起してくるのか。その点にイランの革命の可能性も不可能性も存在していた。それは同時に、近代日本を成り立たせた復古にして維新、明治の革命がもつ両義性にして二面性とも重なり合うはずだ。

近代日本が生み落とすことができた、近代日本そのものを体現する知性である井筒俊彦は、生涯においても思想においても、近代に抗する政治神学がもたざるを得なかった可能性と不可能性の両義性にして二面性を生きざるを得なかったのだ。

## 3 「霊性」のアナキズム、「霊性」のファシズム

井筒が「存在一性論」の世界をはじめて日本語として紹介し、その内実をさらに深めていくのと共振するかのように、イランにおける革命の高まりに熱烈に反応し、その革命のもつ特異なあり方をヨーロッパに紹介した、フランスに生まれた一人の思想家がいた。ミシェル・フーコーである――フーコーがイラン革命を主題として書いた一連のルポルタージュ、対談等は、高桑和巳の邦訳によって、筑摩書房から刊行された『ミシェル・フーコー思考集成』のⅦ巻およびⅧ巻に収められ

ている。以下、基本的にそれらを引用・参照している(ただし、ごく一部注記を加え、語句を変更したところもある)。

フーコーがイラン革命に震撼させられ、魅惑されたのは、それが軍事的な装置、前衛的な党組織をまったくもたない「社会全体の蜂起」であった点にある。イスラームへの信仰が完全に「集団的な一個の意志」、民衆たちの革命への意志として結晶し、世界に向けて表現され、それが現実の国家、現実の政治的な配置、インターナショナルな権力関係を根底から転覆させてしまったのである(その淵源に特異な哲学、「存在一性論」があったことまではさすがに触れられてはいないが……)。

革命の高まりのなかで、フーコーはこう記す。この革命は、「おそらくは、惑星規模《プラネタリー》な諸体系に対してなされたはじめての大蜂起であり、反抗の最も近代的な、また最も狂った形式であろう」と(「反抗の神話的指導者」より)。ヨーロッパとは物理的に異なった「外」の地で、ヨーロッパとは精神的に異なった「外」の方法を用いてなされた革命。フーコーは革命が反動化した後も、その蜂起がもっていた特異性を擁護し続ける。フーコーにとってイラン革命についての総括的な報告となった記事(「蜂起は無駄なのか?」)においても、イランの民衆たちの蜂起は「歴史」に属しているとともに、「歴史」から遠く逃れ去っていこうとするものだ、と謎のような断言を書き残している。イランでは、イスラームの信仰にもとづいて一個の特異性、集団的な特異性にして集団的な主体性が形づくられ、それが「歴史」に挿入され、そのことによって「歴史」が再生されたのだ。そう記してさえいる。共同体を形成するあらゆる成員に「無」の神が共有された、聖なる共同体が生起したのだ。

イランの人々が還ろうとしていたのは、預言者ムハンマドが断行した革命、その結果として預言者ムハンマドがこの地上に生み落とした理想の社会、原初の信仰共同体である。イランでは、預言者の血を引く聖家族に連なる人々が、物理的な支配者(カリフ)に根底から否を突きつける精神的な指導者(イマーム)として、何度もそうした不可能な試みに挑み、高貴なその命を落としてきた。現実の体制に対する反抗にして蜂起は繰り返されてきたのである。反抗は、蜂起は、「歴史」のなかで可能になるとともに、「歴史」を乗り越えて行こうとする。しかし、果たして、そのような革命は、ただイランだけに起こったことだったのであろうか。イランに先んずるかたちで、この極東の列島、日本に生起した明治の維新とは、まさにそのような革命ではなかったのか。古代的で反動的で排外的な側面と、未来的で革新的で開放的な側面が渾然一体となった「霊性」の革命ではなかったのか。

だからこそ、ある意味において、近代を生き抜いた典型的な日本人の一人であった井筒俊彦が、これほどイランに引き寄せられていったのではないのか。若き井筒のイスラームへの関心、アラビア語の学習は、当時の政治性を抜きにしては考えることができないものであった。東アジア共同体、大東亜共栄圏にイスラームの勢力を取り込むために、国家規模の関心と予算によってはじめて可能になったものであった。その一つの焦点は、アラビア半島に宗教的な革命——同時にそれは政治的かつ経済的な革命であった——を引き起こし、それを瞬く間に世界へと広げていった預言者ムハンマドという存在に絞られていたはずである。ムハンマド(マホメット)は、「政治と宗教とが渾然たる一体をなす新しい共同体」を創出したのだ。井筒が一九五二年にアテネ文庫の一冊として刊行した『マホメット』(現在は講談社学術文庫、引用も同書より)は、預言者による革命の詳細を、ただそれだけを、描ききったものだった。そこには、こうある——。

散乱する偶像どもの破片残骸の只中に立ち、カアバの戸柱に背をもたせかけて、マホメットは参集して来た信徒たちに宣言する。「今や異教時代は完全に終りを告げた」と。「従って、異教時代の一切の『血』の負目も貸借関係も、その他諸般の権利義務も今や全く精算されてしまったのである。また同様に、一切の階級的特権も消滅した。地位と血筋を誇ることはもはや何人にも許されない。諸君は全てアダムの後裔として平等であって、もし諸君の間に優劣の差があるとすれば、それは敬神の念の深さにのみ依って決まるのである」と。

井筒によって幻視された、タウヒードにもとづいて生起した革命、神的な社会主義革命の原光景である。おそらく、この小著の起源は、第二次世界大戦中、井筒のアラビア語学習にまでさかのぼるはずだ。そのとき井筒を経済的、精神的に支援していたのは、やはりイスラームの預言者性に深い関心を抱いていた大川周明であり、近代的な天皇制をそのなかに取り込んだかたちでの汎イスラーム主義、東アジア共同体のあり方を模索していた敬虔なムスリムたちであった。預言者も天皇も、神の聖なる言葉を聴き、自らの身にその聖なる言葉を預かり、それをもとにして現実の政治を変革していく。神の言葉に憑依された特異な主体が切り拓いていく認識の地平、精神と物質がもはやその区別を失う根源的な場に顕現してくるものこそが、「無」と「有」をその一身に兼ね備えた神、万物に超越するとともに万物に内在する「一者」であった――ちなみに、『神秘哲学』が刊行されたときにはまだ存命であった折口信夫は、そのような「一者」を『古事記』の冒頭にあらわれる非人格的な内在神、神即自然である「産霊《むすび》」として定位していた。

預言者にはじまり「一者」に終わる。それが井筒思想の帰結でもある。そのような井筒思想の到達点である「存在一性論」の構造を論じた『イスラーム哲学の原像』の「序」に、井筒は、こう記している――。

この形而上学に結晶しているものは、いまもいったように、著しくイスラーム的な、つまり絶対一神教としてのイスラームに独特な、思惟形態であるが、しかしそれと同時にまた、中近東・インド・中国のすべてを含めた広い意味での「東洋」哲学のなかに、到るところ、さまざまに違った形で繰り返し現れてくる東洋的思惟の根源的なパタンでもある。この点から私は、すぐれてイスラーム的な存在感覚と思惟の所産であるこの形而上学を、たんにイスラーム哲学史の一章としてではなく、むしろ東洋哲学全体の新しい構造化、解釈学的再構成への準備となるような形で叙述してみようとした。

われわれに超越するとともにわれわれに内在する「一者」、「無」の側面と「有」の側面を矛盾しながらも併せもった「一者」。それが「東洋的思惟の根源的なパタン」を形づくり、さらには「東洋哲学全体の新しい構造化」にしてその「解釈学的再構成」を促すのだ。井筒が、ここに抽出している「一者」のあり方は、遺著となった『意識の形而上学』で主題的に論じられることになる『大乗起信論』が説く「如来蔵」としての「心」、その「心」がもつ二面性にして両義性と等しい。人間のみならず森羅万象あらゆるものは、「如来」となるための可能性、「如来」となるための種子を、あたかも胎児を孕んだ母胎のように、その「心」のなかに秘めている。「如来蔵」としての「心」は、あらゆる意味を超え出た、清浄で無垢な「空」としての側面(「心真如」)と、そこからあらゆる意味が産出されてくる、迷妄に汚染された「有」としての側面(「心生滅」)を、同一でもなく差異でもなく(起信論の原文では「非一非異」)というかたちで兼ね備えている。

『大乗起信論』が説く「心真如」と「心生滅」の関係は、イスラームに生まれた「存在一性論」が説く「無」の神(絶対的一者)と「有」の神(統合的一者)の関係と等しい。実際、「存在一性論」の可能性を論じた英文著作、『存在の概念と実在性』（一九七一年、邦訳二〇一七年）に収録された講演のなかで、井筒自身が、「存在一性論」が説く「無」の神（絶対的一者）を、『大乗起信論』が説く「如来蔵」としての「心」と同定している。黒田壽郎の証言によれば、井筒が「存在一性論」の体系を、『大乗起信論』に由来する語彙で読み解いていったのは、エラノス会議に井筒が参加をはじめる以前にまでさかのぼる。「存在一性論」と『大乗起信論』の類似性の発見、そこから井筒俊彦の「東洋哲学」がはじまっているのである。

井筒の遺著が刊行される一世紀近く前、やはり『大乗起信論』が説く「如来蔵」の思想を、極東の列島に伝わり、変容し、定着した「東方仏教」の根幹に据えた人物がいた。鈴木大拙である。大拙は、『大乗起信論』を漢語から英語に翻訳し（一九〇〇年）、それにもとづいて巨大な英文著作、『大乗仏教概論』（一九〇七年）を書き上げた。『日本的霊性』（一九四四年）は、そうした大拙思想の到達点として位置づけられる。大拙が説く「霊性」としての心、「如来蔵」としての心は、大拙の営為から一貫して影響を受け続けた――厳密に言えば相互に影響を与え合った――西田幾多郎の哲学と同様、アナキズムとファシズムの間を大きく揺れ動く。「如来蔵」はすべての人間、さらには森羅万象あらゆるものに平等に孕みもたれている。そこから仏教社会主義にして仏教全体主義が生み落とされる。大逆事件の時代にはアナキズムの原理となり、大東亜共栄圏の時代にはファシズムの原理となった。

そこに、そうした歴史的事実に、ヨーロッパとは異なった、「霊性」による革命——絶対的一者による革命にして「如来蔵」による革命——によって生まれた特異な政体、政治と宗教を明確に区別することが不可能な政体のもつ可能性も不可能性もともに包み込まれているはずだ。「存在一性論」、あるいは「如来蔵」の哲学（華厳的な光のネットワークはそこから生まれた）は、超越的かつ侵略的な「帝国」の理論ともなり、内在的かつ平等的な「民主」の理論ともなる。

折口信夫の「憑依」の神道と鈴木大拙の「如来蔵」の仏教は、井筒俊彦の「神秘」の一神教として総合される。その系譜を解体し、再構築していくことは、日本の近代を解体し、再構築していくことにつながるはずである。今日、『大乗起信論』が体現する特異な大乗仏教思想、万物に超越する「如来蔵」（「無」の神）と万物に内在する「如来蔵」（「有」の神）の矛盾的な統一という事態は、インドではなく、翻訳と解釈が何層にも重なり合う中国においてはじめて可能になったと推定されている（大竹晋『大乗起信論成立問題の研究　『大乗起信論』は漢文仏教文献からのパッチワーク』国書刊行会、二〇一七年）。

本来は、決して相互につながり合うことのない二つの極が、翻訳と解釈を通して、創造的に、あるいは折衷的に、統合されたのである。それゆえにまた、空間的かつ時間的な制約を乗り越えて、大陸から半島、さらには列島に伝わり、根付いたのであろう。そうであるならば、そのような混在の地から生まれた井筒俊彦の「神秘」の哲学をあらためて解体し、再構築することもまた、より混在が深められた、さまざまな空間とさまざまな時間が一つに交わる地平、翻訳と解釈がさらに何層にも重なり合ったグローバルな地平で執り行われなければならないであろう。

# あとがき

本書の中心となる座談会は、新型コロナウイルス感染症の流行のさなか、二〇二〇年一二月一九日にまる一日をかけて行われた。末木の提言は、そのために事前に提出されたものであり、他の出席者のエッセーは、座談会前、あるいは後に、それと関連して書かれた。座談会の主会場となった九段下のホテルグランドパレスは、かつて金大中拉致事件の舞台となった老舗ホテルであったが、二〇二一年六月三〇日に閉館した。あまりに急速な時代の推移に、感慨を禁じ得ない。

もともとこのメンバーによる研究会は、二〇一六年に遡る。岩波新書の『日本思想史』を書きあぐねていた頃、吉田裕さんから、研究会を開いて構想を練ってはどうかという提案をいただいた。岩波書店の会議室を会場に提供して、吉田さんが世話役をして下さるというので、そんな虫のいい話が実現するのならば、これほど有難い話はない、ということで、乗り気になった。『日本思想史』の件はさておいて(その後、新書編集部の飯田建さんの担当で何とか二〇二〇年に出版できた)、以前から一緒に議論できたらと願っていた方々にお声をかけたところ、ご快諾いただいて、研究会が始まった(中島隆博さんは少し後からの参加)。

二、三か月に一回、メンバーの都合のあう日を調整したが、時間帯はだいたい午後一時から四時頃までに落ち着いた。当初は、中心的なテーマを設定したらどうかというので、近代の源流として近世を見直すということにポイントを置くということも考えた。しかし、すぐにそれは崩れて、特別のテーマの枠を設けず、担当発表者がその時に関心を持っているテーマを自由に話し、それをめぐってみんなで突っ込んで討論するという形に落ち着いた。

「横の会」と命名されたが、これは「楯の会」を意識したもので、「楯＝縦」でなければ横だろうという、きわめて安易な発想である。ただこじつければ、縦型の社会構造でなく、横に無限に広がっていこうというのと、物騒な武器に頼らず、平和な言論の力を信じようというあたりが共通理解であったかと思う。

あくまでもメンバーだけで、それにオブザーバーとして岩波書店の方が二、三名加わる閉じた研究会で（一回だけゲストをお呼びしたことがあった）、その場限りの話しっぱなしとして、それを何か特定の企画に結びつけないということを相互の了解事項とした。限定されたテーマを設けて、時限付きで成果を求めるという研究会は、さまざまな形で経験してきたが、テーマも絞らず、成果も求めないで、自由にしゃべりたいだけしゃべるというのは、これ以上ない贅沢な時間の過ごし方であった。本来、哲学や思想というのは、そうした自由な討論の場から生まれるものであろう。その意味で、毎回創造的で刺激に満ちた理想的な言論の場であった。

その中から、おのずと共通する問題意識のようなものが生まれてきた。それが近代の見直しということであり、キーワードとして、死者、祭祀、霊性、神秘主義などが繰り返し取り上げられた。またそのような問題が深い政治性を持っていることも確認された。正統的な思想史からは異端視され、まともに扱われてこなかった問題を掘り起こし、深めていくことで、それらの問題の広がりと重要性が強く認識されるようになった。

そのような時に、吉田さんからこのメンバーで座談会を行ない、新書にまとめることはできないか、というご提案をいただいた。特定の企画に結びつけないというのが「横の会」の方針ではあったが、そういう形ならば、いつもの会の延長として可能ではないかと考え、メンバーに相談したところ、賛同していただき、実現することになった。危機的な状況の中で近代を問い直すという点で、戦中期の座談会『近代の超克』との相似は少なからず頭にあったが、それよりは上質の議論ができたのではないかと思う。

最後のところで人文学のあり方という話題を取り上げたが、これは、二〇二〇年に日本学術会議から推薦された会員の一部が、首相に任命を拒否された問題を念頭に置いている。座談会のメンバーは、退職した私以外、皆大学に籍を置き、学生の教育に従事するとともに、学外でも評論などの活動を幅広く繰り広げている。いわばアカデミズムの境界的なところに位置する。扱っているテーマも、既成の学問領域の枠の中に必ずしも納まりきらない。人文学の軽視が目立つ今日、固定化されたアカデミズムを揺るがしつつ、新しい学の魅力が生まれなければならない。それぞれの立場からのチャレンジがこれからも続くであろう。

そのような課題を今後に残しつつ、今日の危機的でありながら、停滞したままの思想状況に対して、本書がいくらかの刺激と問題提起をなしえ、読者に自ら思考することの重要さを認識していただけるとすれば、その使命は果たされたことになるであろう。「横の会」自体は、しばらく休会が続いているが、今も継続している。本書に対する読者の批判や意見をフィードバックさせ、さらにパワーアップした議論を進展させることができれば、と考えている。

吉田さん、飯田さんをはじめ、岩波書店の関係者の皆さまには、日頃の会の設定から、座談会の準備、原稿の整理や注の作成など、さまざまな点でお世話になった。改めてお礼申し上げたい。

末木文美士

二〇二一年七月

中島隆博
1964年生まれ．東京大学大学院人文科学研究科博士課程中国哲学専攻中途退学．東京大学東洋文化研究所教授．東京大学東アジア藝文書院院長．中国哲学，世界哲学専攻．著書に，『残響の中国哲学──言語と政治』(東京大学出版会，2007年)『『荘子』──鶏となって時を告げよ』(岩波書店，2009年)『共生のプラクシス──国家と宗教』(東京大学出版会，2011年)『悪の哲学──中国哲学の想像力』(筑摩選書，2012年)『思想としての言語』(岩波現代全書，2017年)『全体主義の克服』(共著，集英社新書，2020年)『世界哲学史』全8巻＋別巻(共編著，ちくま新書，2020年)ほか多数．

若松英輔
1968年生まれ．慶應義塾大学文学部仏文科卒業．批評家・随筆家．東京工業大学 科学技術創成研究院 未来の人類研究センター・リベラルアーツ研究教育院教授．著書に，『井筒俊彦 叡知の哲学』(慶應義塾大学出版会，2011年)『死者との対話』(トランスビュー，2012年)『霊性の哲学』(角川選書，2015年)『小林秀雄 美しい花』(文藝春秋，2017年〔文春文庫，2021年〕)『内村鑑三 悲しみの使徒』(岩波新書，2018年)『詩と出会う 詩と生きる』(NHK出版，2019年)『霧の彼方 須賀敦子』(集英社，2020年)『弱さのちから』(亜紀書房，2020年)『詩集 たましいの世話』(亜紀書房，2021年)ほか多数．

安藤礼二
1967年生まれ．早稲田大学第一文学部卒業．文芸評論家．多摩美術大学図書館長，美術学部教授．著書に，『神々の闘争 折口信夫論』(講談社，2004年)『光の曼陀羅──日本文学論』(講談社，2008年)『折口信夫』(講談社，2014年)『大拙』(講談社，2018年)『列島祝祭論』(作品社，2019年)『迷宮と宇宙』(羽鳥書店，2019年)『吉本隆明──思想家にとって戦争とは何か』(NHK出版，2019年)『熊楠──生命と霊性』(河出書房新社，2020年)ほか多数，監訳書に井筒俊彦『言語と呪術』(慶應義塾大学出版会，2018年)．

中島岳志
1975年生まれ．大阪外国語大学卒業．京都大学大学院アジア・アフリカ地域研究科博士課程修了．博士(地域研究)．東京工業大学リベラルアーツ研究教育院教授．南アジア地域研究，政治学，日本思想史専攻．著書に，『中村屋のボース──インド独立運動と近代日本のアジア主義』(白水社，2005年)『岩波茂雄 リベラル・ナショナリストの肖像』(岩波書店，2013年)『親鸞と日本主義』(新潮選書，2017年)『保守と大東亜戦争』(集英社新書，2018年)『超国家主義──煩悶する青年とナショナリズム』(筑摩書房，2018年)『自分ごとの政治学』(NHK出版，2020年)ほか多数．

末木文美士

1949年生まれ．
東京大学大学院人文科学研究科博士課程単位取得退学．博士(文学)
専攻－仏教学，日本思想史．
現在－東京大学名誉教授，国際日本文化研究センター名誉教授．
著書－『日本宗教史』(岩波新書，2006年)
『日本仏教入門』(角川選書，2014年)
『思想としての近代仏教』(中公選書，2017年)
『『碧巌録』を読む』(岩波現代文庫，2018年)
『冥顕の哲学1 死者と菩薩の倫理学』(ぷねうま舎，2018年)
『日本思想史』(岩波新書，2020年)
『日本の思想をよむ』(角川ソフィア文庫，2020年)ほか

死者と霊性—近代を問い直す　岩波新書(新赤版)1891

2021年8月20日　第1刷発行
2021年10月5日　第2刷発行

編　者　末木文美士《すえきふみひこ》

発行者　坂本政謙

発行所　株式会社 岩波書店
〒101-8002 東京都千代田区一ツ橋2-5-5
案内 03-5210-4000　営業部 03-5210-4111
https://www.iwanami.co.jp/

新書編集部 03-5210-4054
https://www.iwanami.co.jp/sin/

印刷製本・法令印刷　カバー・半七印刷


ISBN 978-4-00-431891-0　Printed in Japan

# 岩波新書新赤版一〇〇〇点に際して

ひとつの時代が終わったと言われて久しい。だが、その先にいかなる時代を展望するのか、私たちはその輪郭すら描きえていない。二〇世紀から持ち越した課題の多くは、未だ解決の緒を見つけることのできないままであり、二一世紀が新たに招きよせた問題も少なくない。グローバル資本主義の浸透、憎悪の連鎖、暴力の応酬――世界は混沌として深い不安の只中にある。

現代社会においては変化が常態となり、速さと新しさに絶対的な価値が与えられた。消費社会の深化と情報技術の革命は、種々の境界を無くし、人々の生活やコミュニケーションの様式を根底から変容させてきた。ライフスタイルは多様化し、一面では個人の生き方をそれぞれが選びとる時代が始まっている。同時に、新たな格差が生まれ、様々な次元での亀裂や分断が深まっている。社会や歴史に対する意識が揺らぎ、普遍的な理念に対する根本的な懐疑や、現実を変えることへの無力感がひそかに根を張りつつある。そして生きることに誰もが困難を覚える時代が到来している。

しかし、日常生活のそれぞれの場で、自由と民主主義を獲得し実践することを通じて、私たち自身がそうした閉塞を乗り超え、希望の時代の幕開けを告げてゆくことは不可能ではあるまい。そのために、いま求められていること――それは、個と個の間で開かれた対話を積み重ねながら、人間らしく生きることの条件について一人ひとりが粘り強く思考することではないか。その営みの糧となるものが、教養に外ならないと私たちは考える。歴史とは何か、よく生きるとはいかなることか、世界そして人間はどこへ向かうべきなのか――こうした根源的な問いとの格闘が、文化と知の厚みを作り出し、個人と社会を支える基盤としての教養となった。まさにそのような教養への道案内こそ、岩波新書が創刊以来、追求してきたことである。

岩波新書は、日中戦争下の一九三八年一一月に赤版として創刊された。創刊の辞は、道義の精神に則らない日本の行動を憂慮し、批判的精神と良心的行動の欠如を戒めつつ、現代人の現代的教養を刊行の目的とする、と謳っている。以後、青版、黄版、新赤版と装いを改めながら、合計二五〇〇点余りを世に問うてきた。そして、いままた新赤版が一〇〇〇点を迎えたのを機に、人間の理性と良心への信頼を再確認し、それに裏打ちされた文化を培っていく決意を込めて、新しい装丁のもとに再出発したいと思う。一冊一冊から吹き出す新風が一人でも多くの読者の許に届くこと、そして希望ある時代への想像力を豊かにかき立てることを切に願う。

（二〇〇六年四月）

## 岩波新書より

### 宗教

初期仏教 ブッダの思想をたどる　馬場紀寿
内村鑑三 悲しみの使徒　若松英輔
パウロ 十字架の使徒　青野太潮
弘法大師空海と出会う　川﨑一洋
高野山　松長有慶
マルティン・ルター　徳善義和
教科書の中の宗教　藤原聖子
『教行信証』を読む 親鸞の世界へ　山折哲雄
国家神道と日本人　島薗進
聖書の読み方　大貫隆
寺よ、変われ　高橋卓志
親鸞をよむ　山折哲雄
日本宗教史　末木文美士
中世神話　山本ひろ子
法華経入門　菅野博史
イスラム教入門　中村廣治郎
ジャンヌ・ダルクと蓮如　大谷暢順
蓮如　五木寛之
キリスト教と笑い　宮田光雄
密教　松長有慶
仏教入門　三枝充悳
モーセ　浅野順一
イスラーム(回教)　蒲生礼一
背教者の系譜　武田清子
聖書入門　小塩力
イエスとその時代　荒井献
慰霊と招魂　村上重良
国家神道　村上重良
お経の話　渡辺照宏
日本の仏教　渡辺照宏
仏教〔第二版〕　渡辺照宏
チベット　多田等観
禅と日本文化　鈴木大拙 北川桃雄 訳

### 心理・精神医学

モラルの起源　亀田達也
トラウマ　宮地尚子
自閉症スペクトラム障害　平岩幹男
自殺予防　高橋祥友
だます心 だまされる心　安斎育郎
痴呆を生きるということ　小澤勲
快適睡眠のすすめ　堀忠雄
精神病　笠原嘉
やさしさの精神病理　大平健
生涯発達の心理学　高橋惠子 波多野誼余夫
コンプレックス　河合隼雄

岩波新書より

## 哲学・思想

| 書名 | 著者 |
| --- | --- |
| ルイ・アルチュセール | 市田良彦 |
| 異端の時代 | 森本あんり |
| ジョン・ロック | 加藤節 |
| インド哲学10講 | 赤松明彦 |
| マルクス 資本論の哲学 | 熊野純彦 |
| トマス・アクィナス 理性と神秘 | 山本芳久 |
| 生と死のことば 中国の名言を読む | 川合康三 |
| アウグスティヌス 「心」の哲学者 | 出村和彦 |
| 日本文化をよむ 5つのキーワード | 藤田正勝 |
| 矢内原忠雄 戦争と知識人の使命 | 赤江達也 |
| 中国近代の思想文化史 | 坂元ひろ子 |
| 憲法の無意識 | 柄谷行人 |
| ホッブズ リヴァイアサンの哲学者 | 田中浩 |
| プラトンとの哲学 対話篇をよむ | 納富信留 |
| 〈運ぶヒト〉の人類学 | 川田順造 |
| 哲学の使い方 | 鷲田清一 |
| ヘーゲルとその時代 | 権左武志 |
| 柳宗悦 | 中見真理 |
| 人類哲学序説 | 梅原猛 |
| 加藤周一 | 海老坂武 |
| 哲学のヒント | 藤田正勝 |
| 空海と日本思想 | 篠原資明 |
| 論語入門 | 井波律子 |
| トクヴィル 現代へのまなざし | 富永茂樹 |
| 和辻哲郎 | 熊野純彦 |
| 現代思想の断層 | 徳永恂 |
| 宮本武蔵 | 魚住孝至 |
| 西田幾多郎 | 藤田正勝 |
| 丸山眞男 | 苅部直 |
| 西洋哲学史 近代から現代へ | 熊野純彦 |
| 西洋哲学史 古代から中世へ | 熊野純彦 |
| 世界共和国へ | 柄谷行人 |
| 悪について | 中島義道 |
| 偶然性と運命 | 木田元 |
| 近代の労働観 | 今村仁司 |
| プラトンの哲学 | 藤沢令夫 |
| 術語集 II | 中村雄二郎 |
| マックス・ヴェーバー入門 | 山之内靖 |
| ハイデガーの思想 | 木田元 |
| 臨床の知とは何か | 中村雄二郎 |
| 新哲学入門 | 廣松渉 |
| 「文明論之概略」を読む 上・中・下 | 丸山真男 |
| 術語集 | 中村雄二郎 |
| 死の思索 | 松浪信三郎 |
| 生きる場の哲学 | 花崎皋平 |
| イスラーム哲学の原像 | 井筒俊彦 |
| 北米体験再考 | 鶴見俊輔 |
| アフリカの神話的世界 | 山口昌男 |
| 孟子 | 金谷治 |
| 孔子 | 貝塚茂樹 |

## 社会

## 岩波新書より

- 変えてゆく勇気　上川あや
- 戦争で死ぬ、ということ　島本慈子
- 社会学入門　見田宗介
- 冠婚葬祭のひみつ　斎藤美奈子
- 壊れる男たち　金子雅臣
- 少年事件に取り組む　藤原正範
- いまどきの「常識」　香山リカ
- 働きすぎの時代　森岡孝二
- 桜が創った「日本」　佐藤俊樹
- 生きる意味　上田紀行
- ルポ 戦争協力拒否　吉田敏浩
- ウォーター・ビジネス　中村靖彦
- 男女共同参画の時代　鹿嶋敬
- 当事者主権　中西正司　上野千鶴子
- ルポ 解雇　島本慈子
- 豊かさの条件　暉峻淑子
- 人生案内　落合恵子
- 若者の法則　香山リカ
- 自白の心理学　浜田寿美男

---

- 原発事故はなぜくりかえすのか　高木仁三郎
- 日本の近代化遺産　伊東孝
- 証言 水俣病　栗原彬編
- コンクリートが危ない　小林一輔
- 東京国税局査察部　立石勝規
- ドキュメント 屠場　鎌田慧
- 能力主義と企業社会　熊沢誠
- 沖縄 平和の礎　大田昌秀
- 現代社会の理論　見田宗介
- 原発事故を問う　七沢潔
- 災害救援　野田正彰
- 命こそ宝 沖縄反戦の心　阿波根昌鴻
- スパイの世界　中薗英助
- 都市開発を考える　大野輝之　レイコ・ハベ・エバンス
- ディズニーランドという聖地　能登路雅子
- 原発はなぜ危険か　田中三彦
- 豊かさとは何か　暉峻淑子
- 農の情景　杉浦明平

---

- 光に向って咲け　粟津キヨ
- 異邦人は君ヶ代丸に乗って　金賛汀
- 読書と社会科学　内田義彦
- 科学文明に未来はあるか　野坂昭如編著
- プルトニウムの恐怖　高木仁三郎
- 社会科学における人間　大塚久雄
- 沖縄ノート　大江健三郎
- 地の底の笑い話　上野英信
- この世界の片隅で　山代巴編
- 音から隔てられて　入谷仙介　林瓢介編
- ものいわぬ農民　大牟羅良
- 民話を生む人々　山代巴
- 死の灰と闘う科学者　三宅泰雄
- 米軍と農民　阿波根昌鴻
- 沖縄からの報告　瀬長亀次郎
- 暗い谷間の労働運動　大河内一男
- ユダヤ人　J-P・サルトル　安堂信也訳
- 社会認識の歩み　内田義彦
- 社会科学の方法　大塚久雄

## 岩波新書／最新刊から

1890 **法医学者の使命**　「人の死を生かす」ために　吉田謙一著

法医学者はどのように死因を判断するのか。日本の刑事司法および死因究明制度のどこが問題か。第一人者による警告の書。

1891 **死者と霊性**　―近代を問い直す―　末木文美士編

末木文美士、中島隆博、若松英輔、安藤礼二、中島岳志、眼に見えない領域をめぐり思索を続けてきた五名による白熱の討議をまとめる。

1892 **万葉集に出会う**　大谷雅夫著

先入観なしに歌そのものとじっくり向き合えば、古代の人びとの心がたしかに見えてくる。それは、私たちの心そのものなのだ。

1893 **ユーゴスラヴィア現代史 新版**　柴宜弘著

ユーゴ解体から三〇年。あの紛争が突きつけた重い課題は、いまも私たちの前に立ちはだかっている。ロングセラーの全面改訂版。

1894 **ジョブ型雇用社会とは何か**　―正社員体制の矛盾と転機―　濱口桂一郎著

「ジョブ型雇用」の名づけ親が、巷にはびこる誤解を正し、さらにこの概念を駆使して日本の様々な労働問題の深層へとメスを入れる。

1895 **ヒトラー**　―虚像の独裁者―　芝健介著

ナチス・ドイツ研究の第一人者が描く決定的評伝。生い立ちからホロコースト、死後の論争等をふまえ「ヒトラー神話」を解き明かす。

1896 **スペイン史10講**　立石博高著

ヨーロッパとアフリカ、地中海と大西洋――四つの世界が出会う場として、個性あふれる歩みを刻してきたスペインの通史。

1897 **知的文章術入門**　黒木登志夫著

論文執筆の指導・審査歴50年の著者がデジタル社会ならではの知的文章術、プレゼン術を指南。日本語事例は痛快、英語文例は実践的。

(2021. 10)